Índice

**Conocer al
Pit Bull Terrier**

El Pit Bull Terrier es un perro ágil, listo, fuerte y muy combativo.

El Pit Bull Terrier se ha hecho popular en todo el mundo. Puede ser una mascota maravillosa, y aquellos que han tenido éxito con él dan fe de su lealtad, viveza, estabilidad y habilidad para comportarse como un amoroso miembro de la familia. Sin embargo, el American Pit Bull Terrier, o Pit Bull Terrier, no es un perro para cualquier clase de persona y, por ende, antes de adquirir la raza, le recomendamos que lea, pregunte, conozca perros y, finalmente, encuentre a un criador responsable. Una ojeada a la historia del Pit Bull Terrier ofrecerá al dueño potencial una buena panorámica sobre los antecedentes de la raza y sobre la necesidad de tomar precauciones cuando estemos en busca de un cachorro en lugar de adquirir el primero que se nos presente.

El Pit Bull Terrier desciende de los perros de pelea ingleses e

A pesar de las muchas historias que circulan sobre la ferocidad del Pit Bull, es un perro realmente tranquilo y amistoso, como lo muestran estas caras sonrientes.

irlandeses. Durante siglos, el combate entre animales (también llamado «deporte sangriento») ha sido un espectáculo popular, aunque extremadamente cruel. Los animales utilizados para tal fin eran toros, leones, gallos, perros y, en la época del imperio romano, incluso hombres. Aunque este deporte desapareció gradualmente del círculo de los ricos y los monarcas, permaneció como un atractivo pasatiempo para los trabajadores con poco dinero. Se podía criar un perro de pelea sin ningún o con muy poco costo y ganar el salario de una semana haciendo apuestas sobre una pelea. En los siglos XVIII y XIX la vida era dura y no se prestaba atención a la inhumanidad de este deporte. Hacia mediados del siglo XIX aproximadamente, se prohibieron en Gran Bretaña las peleas con osos y toros, pero las peleas caninas continuaron, sobre todo en las áreas industriales. Con el tiempo, también llegaron a prohibirse pero el deporte continuó clandestinamente hasta el día de hoy, tanto en Inglaterra como en Estados Unidos. Cada vez

El Pit Bull Terrier actual está lejos de sus atareados predecesores; es una raza muy juguetona.

La popularidad y los devotos de la raza abarcan todo el planeta. Este atractivo Pit Bull procede de Alemania.

que la policía encuentra un ring de pelea, el hecho recibe una buena cobertura de prensa y el público en general considera que es un deporte inhumano y despreciable.

Los antecedentes del Pit Bull se encuentran en los perros de pelea ingleses e irlandeses de la mitad del siglo XIX. En una época, el Pit Bull Terrier, el Staffordshire Bull Terrier y el American Staffordshire Terrier se consideraron una sola raza. Las tres se originaron a partir del Bulldog Inglés y ciertas razas de terriers. El Bulldog, conocido como perro de combate, se cruzó con el Terrier negro y fuego o con el Terrier blanco inglés para crear un animal de pelea más ágil y rápido. Con el tiempo, las razas se utilizaron para propósitos diferentes y por eso cambiaron. Ahora son tres razas diferentes.

El American Staffordshire Terrier es el más pesado de los tres; los machos de esta raza llegan a medir entre 45 y 48 cm de altura a la cruz. Las orejas pueden cortarse o no, pero se prefieren sin cortar. El Staffordshire Bull Terrier mide entre 36 y 41 cm de altura y no se le cortan las orejas. El Pit Bull Terrier puede tenerlas cortadas o no, pesa entre 16 y 27 kg (el macho) y entre 14 y 23 (la hembra). No se especifica altura, de modo que en el Pit Bull hay cierta variedad de tallas. Es una de las pocas razas populares que no está registrada en el American Kennel Club (AKC).

Sus dos primos muy cercanos, el Staffordshire Bull Terrier y el American Staffordshire Terrier sí están registrados en el AKC.

Los perros del tipo Pit Bull/Staffordshire se introdujeron en Estados Unidos hacia mediados del siglo XIX y se continuaron importando tanto de Irlanda como de Inglaterra durante muchos años. Wayne D. Brown, en la *Historia del Pit Bull Terrier*, escribió exhaustivamente acerca de la historia de los Pit Bulls. Es una historia larga y complicada donde no deja de llamar la atención la precisión en los nombres de los perros irlandeses: Bob el Tonto (Bob the Fool), Ciego Buck (Blind Buck), Vuelo de Morrow (Morrow´s Fly) y Cachorro de Galvin (Galvin´s

Pup). Todos estos perros se criaron para la pelea y se consideraba que los descendientes de Bob el Tonto eran peleadores prominentes. Los perros importados de Inglaterra tenían también nombres muy pintorescos: Turco (Turk), Toby, Curley, Chiri-

Unidos. Se descubrió que los perros de esta raza eran mascotas maravillosas, muy resueltos, leales y buenos con los niños. El Pit Bull Terrier/Staffordshire Terrier era considerado un símbolo del patriotismo estadounidense a principios del siglo xx. Hacia

Las razas «Bull» y «Terrier» relacionadas con el Pit Bull Terrier son, de izquierda a derecha: el Bull Terrier, el American Staffordshire Terrier y el Staffordshire Bull Terrier.

bitil (Crib) y Piloto (Pilot); este último era no sólo un peleador poderoso y triunfador, sino que dejó como legado una excelente progenie.

El Pit Bull Terrier empezó a ganar popularidad en Estados

1936, con la llegada de las películas de *Nuestra Pandilla (Our Gang)* con «Los Pillos de Lil» *(Lil´s Rascals)* y *El Cachorro Pete (Pete the Pup)*, que era un Pit Bull Terrier/AmStaff, la raza se hizo muy popular. Fue durante

Conocer al Pit Bull Terrier

A los perros de pelea se les cortaban las orejas para que sus oponentes tuvieran un lugar menos por donde agarrarlos. El Pit Bull Terrier actual puede encontrarse con las orejas cortadas o naturales, como las de este jovenzuelo, lo que le confiere una apariencia más suave.

esta época que el AKC registró la raza como Staffordshire Terrier.

con la esperanza de recibir el reconocimiento del AKC. En 1936 se registraron Pit Bull Terrier y

Pit Bull Terrier con las orejas cortadas. Algunos dueños prefieren mantener la imagen tradicional de las orejas cortadas aun cuando no usan a sus perros para pelear o trabajar.

En 1935, un grupo de personas fundó el Club Staffordshire Terrier de Estados Unidos (*Staffordshire Terrier Club of America*)

Staffordshire Terriers en el AKC, aunque algunos criadores de Pit Bull Terrier registraron a sus perros en la *American Dog Bree-*

ders Association (ADBA, Asociación Estadounidense de Criadores de Perros) y en el United Kennel Club (UKC, Kennel Club del Reino Unido). Con el tiempo, se registraron menos Pit Bull en el AKC y, hacia 1972, se cambió el nombre del Staffordshire Terrier por el de American Staffordshire Terrier. El UKC y el ADBA comenzaron a organizar sus propias exposiciones para los Pit Bull Terrier.

De 1950 hasta principios de la década de 1970, la raza se eclipsó hasta cierto punto. Pocos criadores se mantuvieron fieles, criando buenos perros con buenos pedigrees. Hacia la década de 1980 comenzó de nuevo a ganar popularidad y gente con poco o ningún conocimiento de la raza comenzó a criar perros sin tener apenas en consideración los pedigrees o el temperamento. Muchos criaban buscando el fin opuesto al de los criadores responsables: perros agresivos con las personas. Poco después comenzaron a aparecer en la prensa artículos sobre Pit Bulls que habían ocasionado terribles heridas a niños. Además, en los barrios bajos comenzaron a desarrollarse otra vez clandestinamente las peleas de perros, donde dueños sin escrúpulos enfrentaban a sus perros. Esto provocó un interés aún mayor por parte de los medios de comunicación de masas y causó más problemas al Pit Bull Terrier.

Actualmente, la raza lucha contra esa reputación, a medida que las ciudades intentan aprobar leyes contra el Pit Bull Terrier. Por esas razones, es absolutamente esencial que los dueños potenciales de Pit Bull Terrier cumplan con su tarea, conozcan si el perro será aceptado en su vecindario y lo ad-

Los dueños de Pit Bull bien criados y bien adiestrados sostienen que este perro es maravilloso con los niños. Por supuesto, como ocurre con cualquier otra raza, a los pequeños hay que enseñarles la manera adecuada de manejar a un perro.

quieran únicamente de un criador responsable, alguien que haya estado criando durante algún tiempo, que lo haga de acuerdo con el estándar y que someta a sus perros a las pruebas de temperamento.

El Pit Bull es un versátil y divertido compañero, siempre listo para compartir con sus amos cualquier clase de juego o actividad.

CONOCER AL PIT BULL TERRIER

Resumen

■ Los ancestros del Pit Bull Terrier se remontan a los perros de pelea de Irlanda e Inglaterra que se empleaban en los crueles combates entre animales y otros «deportes sangrientos».

■ El Pit Bull Terrier y otras razas muy cercanas se originaron a partir de los cruces entre el antiguo Bulldog y varias razas de terriers.

■ Aunque popular en Estados Unidos, el Pit Bull Terrier no es una raza reconocida por el AKC como sus parientes cercanos, el American Staffordshire Terrier y el Staffordshire Bull Terrier. Existen otros grandes registros nacionales para promover y proteger al Pit Bull Terrier.

■ El Pit Bull Terrier debe su mala reputación al resurgimiento de las peleas caninas clandestinas y a la aparición de criadores irresponsables. Los criadores auténticos y consagrados están trabajando duro para preservar las admirables cualidades de esta raza y revertir su negativa imagen mediante la cría de perros sanos y de calidad que puedan convertirse en maravillosas mascotas.

Estándar y descripción de la raza

Cada raza de perros, ya se encuentre registrada en el AKC, el UKC, la ADBA o en cualquier otro registro, tiene un estándar racial.

Este estándar escrito ofrece un retrato mental de cómo la raza debe verse y actuar, entre otros aspectos.

En el caso del Pit Bull, las dos principales organizaciones de registro de la raza, el UKC y el ADBA, cada una tiene su propio estándar. El estándar del UKC está escrito en un formato muy similar al de los estándares del AKC, mientras que el del ADBA está escrito en forma de párrafos.

Si analizamos primero el estándar del UKC veremos que se usan frecuentemente los vocablos que denotan fuerza: los hombros son fuertes y musculosos, el dorso, corto y fuerte, y los metacarpos y metatarsos razonablemente fuertes. Debe tener mandíbulas bien pronunciadas que muestren fuerza, el cuello musculoso y los muslos largos,

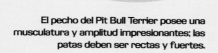

El pecho del Pit Bull Terrier posee una musculatura y amplitud impresionantes; las patas deben ser rectas y fuertes.

con músculos desarrollados. El peso no es importante, los machos pesan entre 16 y 27 kg y las hembras entre 14 y 23. Las orejas pueden estar cortadas.

Es útil leer el estándar del ADBA porque seguramente dará al dueño potencial de Pit Bull Terrier una buena idea de la razón por la cual se crió la raza originalmente: fue un perro criado para ganar peleas. En mayor o menor grado lo que se buscaba reproducir era combatividad, postura, vigor, habilidad para la lucha cuerpo a cuerpo y para morder. El estándar del ADBA señala que el perro debe verse «cuadrado» de perfil. Las orejas pueden estar cortadas y se acepta cualquier color en el pelaje.

El estándar señala: «Sobre todo, el Pit Bull Terrier es un atleta completo. A su cuerpo se le pide velocidad, poder, habilidad y vigor. Debe estar equilibrado en todas direcciones. Demasiado de una cosa resta de otra. No se trata de una entidad formada de acuerdo con especialistas humanos. En su mejor forma es una máquina de pelear... algo bello». La divi-

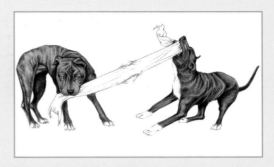

La raza es famosa por la fuerza descomunal de sus mandíbulas, por eso el Pit Bull Terrier disfruta de los juegos donde pone en uso esta cualidad. Sin embargo, los dueños deben ser precavidos porque como se trata de un perro muy tenaz, una vez que haya hecho presa de algo, muy rara vez lo soltará.

El musculoso cuello del Pit Bull Terrier se ensancha a medida que se funde suavemente con los hombros.

Estándar y descripción de la raza

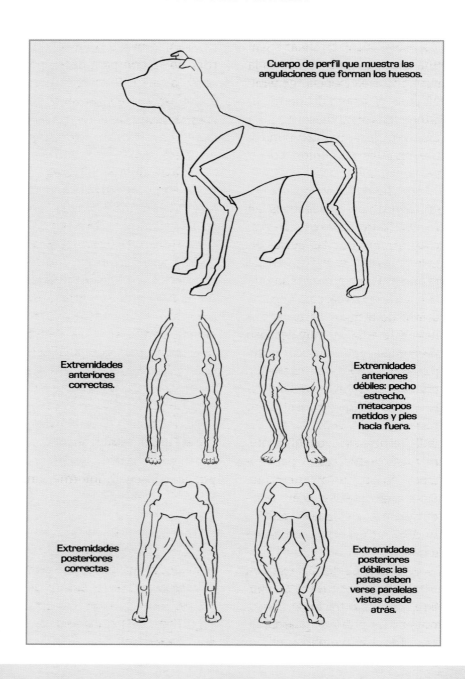

Cuerpo de perfil que muestra las angulaciones que forman los huesos.

Extremidades anteriores correctas.

Extremidades anteriores débiles: pecho estrecho, metacarpos metidos y pies hacia fuera.

Extremidades posteriores correctas

Extremidades posteriores débiles: las patas deben verse paralelas vistas desde atrás.

sión que hace el estándar sobre una escala de 100 puntos es la siguiente: Apariencia general: 20 puntos; actitud del perro: 10 puntos; cabeza y cuello: 15 puntos; tren delantero: 20 puntos; tren trasero: 30 puntos; cola y pelaje: 5 puntos.

Nos hemos referido a algunos de los puntos negativos del Pit Bull Terrier, pero existen muchas razones por las cuales alguien puede desear poseer esta raza. Un Pit Bull de buena cría puede ser una mascota que nos colme de alegría. Es excepcionalmente atlético, muy deseoso de complacer y muy cariñoso, por lo que resulta un excelente perro familiar. En cuanto a coraje, combatividad y resolución, esta raza es lo máximo. Los Pit Bull Terrier son lo suficientemente tozudos como para intentar vencer cualquier desafío. Su umbral del dolor es extremadamente alto, lo que se suma a su disposición firme como una roca.

A principios del siglo xx, era la raza que simbolizaba el orgullo y el coraje nacional. No se trata de un perro de guarda como el Pastor Alemán y el Do-bermann, porque el Pit Bull Terrier no se crió para desempeñar esa tarea. Si lo que usted está buscando es un perro de guarda, seleccione mejor un Dobermann, un Rottweiler o un Pastor Alemán. Si le gusta cómo luce el Pit Bull Terrier pero no está calificado para hacer justicia a esta raza, puede considerar adquirir un Bulldog.

Mientras medita la posibilidad de adquirir un Pit Bull Terrier como mascota, debería reunir toda la información posible sobre la raza. Visite exposiciones donde se exhiban Pit Bull Terrier para que pueda observar la raza, conozca a los presentadores y aproveche sus conocimientos. Vaya a las bibliotecas y consulte otros libros sobre el Pit Bull Terrier. Además de eso, hay varios sitios web donde puede conseguir información. La ADBA (www.adba.cc) y el UKC (www.ukcdogs.com) son buenos sitios para comenzar.

También existe un excelente periódico al cual puede suscribirse: *The American Pit Bull Terrier Gazette*, PO Box 1771, Salt Lake City, Utah 84110. Ésta es también la dirección de la ADBA.

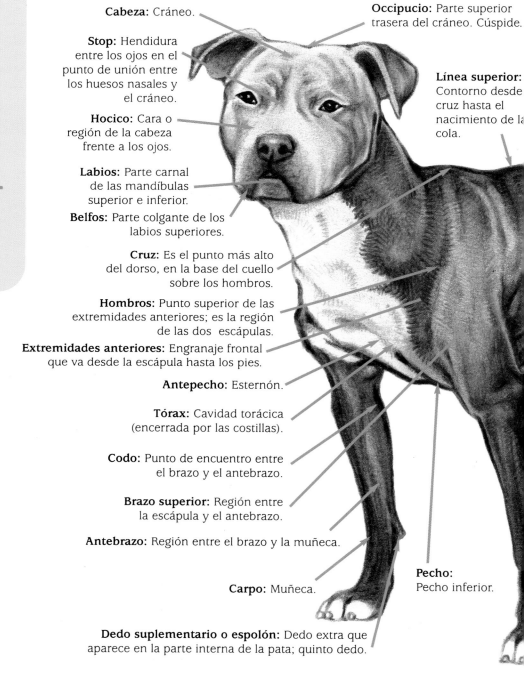

Cabeza: Cráneo.

Occipucio: Parte superior trasera del cráneo. Cúspide.

Stop: Hendidura entre los ojos en el punto de unión entre los huesos nasales y el cráneo.

Línea superior: Contorno desde cruz hasta el nacimiento de la cola.

Hocico: Cara o región de la cabeza frente a los ojos.

Labios: Parte carnal de las mandíbulas superior e inferior.

Belfos: Parte colgante de los labios superiores.

Cruz: Es el punto más alto del dorso, en la base del cuello sobre los hombros.

Hombros: Punto superior de las extremidades anteriores; es la región de las dos escápulas.

Extremidades anteriores: Engranaje frontal que va desde la escápula hasta los pies.

Antepecho: Esternón.

Tórax: Cavidad torácica (encerrada por las costillas).

Codo: Punto de encuentro entre el brazo y el antebrazo.

Brazo superior: Región entre la escápula y el antebrazo.

Antebrazo: Región entre el brazo y la muñeca.

Pecho: Pecho inferior.

Carpo: Muñeca.

Dedo suplementario o espolón: Dedo extra que aparece en la parte interna de la pata; quinto dedo.

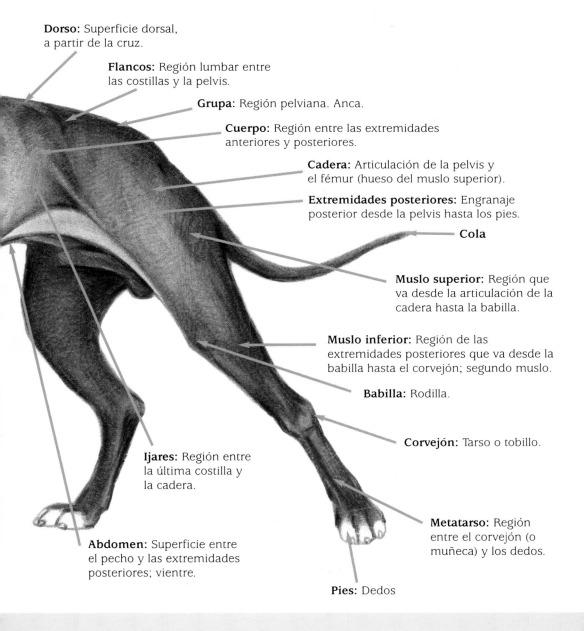

Dorso: Superficie dorsal, a partir de la cruz.

Flancos: Región lumbar entre las costillas y la pelvis.

Grupa: Región pelviana. Anca.

Cuerpo: Región entre las extremidades anteriores y posteriores.

Cadera: Articulación de la pelvis y el fémur (hueso del muslo superior).

Extremidades posteriores: Engranaje posterior desde la pelvis hasta los pies.

Cola

Muslo superior: Región que va desde la articulación de la cadera hasta la babilla.

Muslo inferior: Región de las extremidades posteriores que va desde la babilla hasta el corvejón; segundo muslo.

Babilla: Rodilla.

Corvejón: Tarso o tobillo.

Ijares: Región entre la última costilla y la cadera.

Metatarso: Región entre el corvejón (o muñeca) y los dedos.

Abdomen: Superficie entre el pecho y las extremidades posteriores; vientre.

Pies: Dedos

17

El Pit Bull Terrier puede ser considerado una «raza cabeza» porque su imponente cabeza es un rasgo muy importante y distintivo en él.

No existen restricciones en cuanto al color, marcas o patrones en el Pit Bull Terrier, lo que significa que los dueños potenciales disponen de un amplio arco iris de opciones. Este par muestra tan sólo dos de las infinitas posibilidades.

ESTÁNDAR Y DESCRIPCIÓN DE LA RAZA

Resumen

■ El estándar racial es la descripción oficial del Pit Bull Terrier ideal, donde se detallan la conformación física, el carácter y el movimiento correctos.

■ El UKC y la ADBA tienen cada uno su estándar del Pit Bull Terrier. El estándar del UKC enfatiza la fuerza de la raza; el estándar del ADBA refleja su atletismo y aquellos rasgos que contribuyen a su propósito original. Aunque ya no es un perro de pelea, el Pit Bull Terrier debe estar construido todavía como si lo fuera.

■ El Pit Bull Terrier es fuerte y musculoso, puede tener cualquier color o patrón y las orejas cortadas o no.

■ La gente debe dejar atrás las «críticas negativas» al Pit Bull Terrier para llegar a conocer las maravillosas cualidades de este hermoso, versátil y leal compañero.

Antes de adquirir un Pit Bull Terrier, debe meditar mucho sobre la personalidad y características de la raza para determinar si éste es el perro adecuado para usted.

No lo es para el dueño inactivo, no dispuesto a dar al perro el adiestramiento y la atención que merece. Además, no es un perro para quien no ha tenido antes un cachorro. Es para esa clase de persona que ha estudiado la raza, que entiende sus características y que está dispuesta a entrenar a su perro y a dedicarle el tiempo que necesita.

Debería considerar los siguientes aspectos antes de adquirir un Pit Bull Terrier:

Los Pit Bull Terrier son perros activos que necesitan dar una salida constructiva a su energía. El mejor tipo de ejercicio proviene de las actividades que comparten con sus dueños, porque aportan el beneficio adicional de fortalecer su relación mutua.

1. ¿Tiene tiempo para dedicar a su perro? Él necesita cuidado, compañía, adiestramiento y acicalado. Es casi como tener un niño, excepto que el perro permanece niño y necesita de sus cuidados para siempre.

2. ¿Tiene un jardín cercado para su Pit Bull? No es una raza para atar al porche ni dejar suelta para que vaya adonde quiera. Debe tener un área segura donde correr y hacer ejercicio.

3. ¿Ha tenido antes un perro y vivió éste una larga y feliz vida junto con su familia?

4. ¿Ha averiguado en las oficinas locales del gobierno si hay leyes específicas en su vecindario relacionadas con ciertas razas caninas? Algunas comunidades no permiten ciertas razas de perros y el Pit Bull Terrier puede ser una de ellas.

5. Comprenda que sus vecinos pueden no sentirse contentos con la llegada al barrio de un perro de este tipo. Lamentablemente, el Pit Bull no es visto con buenos ojos por mucha gente que no entiende la raza o que no ha tenido contacto con un Pit Bull Terrier de buena cría.

6. Aunque la raza necesita poco acicalado, su perro necesitará algunos cuidados. ¿Tiene tiempo e interés en proporcionárselos?

El ambiente ideal para el Pit Bull Terrier es una casa con jardín cercado donde puede pasar el tiempo corriendo y jugando en libertad.

El Pit Bull Terrier no es un perro muy alto, sino compacto y musculoso, con más fuerza por kilo de peso corporal que la mayoría de las razas.

Todo Pit Bull tiene el potencial para convertirse en una amorosa mascota. Depende mucho del dueño y de cómo lo críe y adiestre.

Revisemos las siguientes cuestiones, una por una:

1. Tener tiempo para un perro no significa que no pueda trabajar y tener un perro al mismo tiempo. Sin embargo, al igual que un niño, su mascota necesitará que le dedique un tiempo valioso. Debe alimentarle dos veces al día y ejercitarlo varias veces todos los días. El perro necesita ser acariciado y amado y querrá acompañarle cuando salga en el coche. Debe trabajar con él y dedicar tiempo a convertirle en un perro educado y de buenas costumbres.

Ha de dar a su perro por lo menos dos paseos diarios, lo que significa una caminata y un buen retozo por la mañana y la tarde. Nunca le permita correr suelto por el vecindario. Es una raza que puede durar poco en la calle debido a la actitud negativa de la gente. Muchos Pit Bulls son recogidos por el departamento de control de animales y llevados a las perreras municipales todos los días.

2. ¿Dispone de un jardín cercado? Debe ser lo suficientemente grande como para permitirle jugar a la pelota con su perro arrojándosela para que él la persiga. Recuer-

Cuidar el corto pelaje del Pit Bull Terrier es fácil. Además del cepillado y del baño ocasional, debe revisar regularmente la piel y el pelo de su perro para comprobar si ha recogido algún insecto o sustancia alergénica mientras ha estado fuera de casa.

de que es responsabilidad suya mantener el patio libre de heces fecales caninas. Cuando pasee a su perro, es esencial que lleve una o dos bolsas de plástico para recoger sus deposiciones. Luego podrá deshacerse fácilmente de la bolsa y su contenido cuando, de vuelta a casa, pase por una papelera.

3. ¿Ha tenido perros antes? Eso le dará una buena idea de lo que un perro espera de usted y de lo que debe hacer por él. Como el Pit Bull Terrier es uno de los perros más fuertes del mundo canino, debe ser capaz de manejarlo. Además, como todos los terriers, el Pit Bull es listo y necesita un dueño que sea ¡más listo que él!

4. Indague con los órganos de gobierno de su pueblo o ciudad si existe alguna ley antiPit Bull en su área. Si el ayuntamiento de su ciudad ha prohibido ciertas razas caninas en la zona, puede estar casi seguro de que el Pit Bull estará incluido entre ellas.

5. Debe conversar con sus vecinos sobre su intención de adquirir un Pit Bull Terrier. Proporcióneles información acerca de la raza y asegúreles que está adquiriendo un

El Pit Bull es un perro de apariencia imponente, atractiva y digna, además de que puede tener variados y llamativos colores y marcas, como la pechera blanca de este ejemplar.

Esta fotografía dice muchísimo sobre la naturaleza siempre alerta del Pit Bull.

cachorro sano y de buena cría producido por un criador responsable.

6. En esta raza, el acicalado es mínimo pero necesitará cepillar a su perro, cortarle las uñas, lavarle la cara una o dos veces por semana, mantenerle las orejas limpias y darle un baño cuando sea necesario.

Cualquier persona que esté considerando tener un Pit Bull Terrier debe disfrutar de la actividad física y ha de estar dispuesto a enrolarse con su perro en diferentes actividades. No tienen que ser actividades formales; el Pit Bull Terrier es un perro juguetón que disfruta tonteando un poco con su dueño. Dicho esto, y para que juntos puedan disfrutar completamente de las actividades que realicen, el perro debe estar bien adiestrado y tiene que comportarse adecuadamente. El dueño tiene que contraer un compromiso consigo mismo, y es el de adiestrar a su perro para que llegue a ser un animal confiable y educado que pueda estar cerca de cualquiera. Con una raza tan fuerte como ésta no se puede correr el menor de los riesgos, pero añádale también a esto la imagen negativa que el público en general tiene de este perro. Si su Pit Bull Terrier es un buen ciudadano canino, no sólo tendrá usted una relación maravillosa con él sino que también estará presentando a la raza bajo una luz positiva.

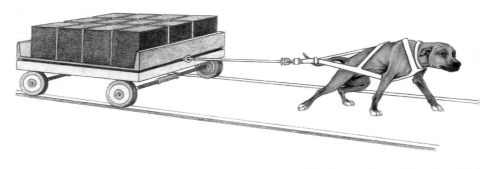

Los aficionados a la raza suelen entrenar a sus perros para las competiciones de Arrastre de Pesos y se asombran de su fuerza y tenacidad.

Los Pit Bull pueden ser agresivos con los otros perros, pero es posible conseguir que varios de ellos puedan vivir juntos. ¡Aquí no hay problemas!

¿ES LA RAZA ADECUADA PARA USTED?

Resumen

■ La persona adecuada para el Pit Bull Terrier tiene que considerar cuidadosamente todos los pros y los contra de tener un perro de esta raza y asegurarse de que puede criarlo y educarlo de manera que sea un modelo de ciudadano canino.

■ La persona adecuada para el Pit Bull debe tener tiempo para ejercitar, cuidar y adiestrar a su perro, además de proporcionarle el resto de condiciones que necesita.

■ La persona apta para tener un Pit Bull es ese dueño responsable que desea un ejemplar de esta raza por las razones adecuadas, no como perro de protección, agresión o pelea. Esta persona adiestrará a su perro de manera confiable y promoverá las cualidades positivas de la raza.

■ La persona adecuada para el Pit Bull Terrier se asegura de que su perro esté seguro y protegido todo el tiempo.

Cuando usted compra un Pit Bull Terrier, desea un cachorro sano y de pura raza, producido por un criador responsable, es decir, esa persona que ha meditado mucho antes de cruzar a su hembra.

Tiene en cuenta los problemas de salud que confronta la raza, cuenta con espacio en su casa o en su criadero para criar una camada y tiempo para dedicar a los cachorros. No utiliza como semental al perro que vive en la otra esquina porque es lo más fácil y porque quiere mostrar a sus hijos el milagro del nacimiento. Por encima de todo, no vende sus cachorros a ninguna «fábrica de cachorros». Una «fábrica de cachorros» es un lugar donde se sacan crías y se trafica con perros, que suele encontrarse en una finca donde hay 100 o más perros de varias razas en condiciones deplorables. El dueño de la fábrica de cachorros despacha los perros a otro lugar para que sean vendidos al público.

¡Qué par de bellezas! Todos los cachorros de la camada de donde seleccione al suyo deben estar sanos y tener una actitud alerta y amistosa, o sea, deben ser de calidad.

Un criador responsable es alguien dedicado a su raza, alguien que se esfuerza por eliminar cualquier falta o problema hereditario de su plantel de cría, y cuyo mayor interés es mejorar la raza. Estudia los pedigrees y ve lo que están produciendo los sementales predominantes. Con el objeto de proporcionar a su hembra el semental adecuado, puede enviarla por avión al otro extremo del país para que la cruce un macho en particular, o llevarla en su coche viajando por lo general a cientos de kilómetros de distancia. El criador puede producir una o dos camadas por año, lo que significa que es posible que no tenga un cachorro listo en el momento en que le telefonee por primera vez. Recuerde que está adquiriendo un nuevo miembro para su familia, de modo que valdrá la pena esperar por el cachorro adecuado.

El criador responsable de Pit Bull será probablemente alguien que ha estado criando desde hace varios años, alguien conocido en el ámbito nacional. Indague en revistas caninas o hable con alguien del

Parte de la emoción de visitar al criador es conocer la camada. Eso le brindará la oportunidad de divertirse un poco mientras conoce la personalidad de cada cachorro y encuentra el de su preferencia.

Padre e hijo. El cachorro ha heredado el llamativo patrón atigrado de su padre.

Selección del criador

club de la raza local o nacional para que le ayude a encontrar un criador responsable.

El criador responsable le mostrará su criadero, si lo tiene, o le invitará a su casa para que vea los cachorros. Las áreas estarán limpias y olerán bien. También le mostrará a la madre del cachorro que usted está considerando, que también olerá bien y se verá limpia y correctamente acicalada.

Los cachorros también estarán limpios, con sus uñas cortadas y caras pulcras. El criador se los mostrará pero probablemente no le enseñará los que ya están vendidos o los que pretende conservar para sí.

El criador también le hará preguntas: ¿Ha tenido perros antes? ¿Cuántos? ¿Ha tenido un Pit Bull Terrier? ¿Los perros que ha tenido han llegado a la vejez? ¿Dispone de un jardín cercado?

Cuando conozca la camada no tema agacharse para estar al nivel de los cachorros.

¿Cuántos niños tiene y de qué edades? ¿Ha adiestrado alguna vez a un perro? ¿Tiene otras mascotas en casa? No se ofenda por estas preguntas. Él ha invertido mucho esfuerzo y dinero en su camada y su prioridad número uno es colocar cada cachorro en el hogar adecuado, donde reciba los cuidados que necesita y sea deseado, amado y atendido como se merece.

Algunas veces su cachorro irá directamente hacia usted y ¡será él quien le escoja!

SELECCIÓN DEL CRIADOR

Resumen

■ Contacte con clubes de prestigio, el club de la raza de su país o la asociación canina local o nacional, para que le ayuden a encontrar un criador ético.

■ Cuando visite al criador, eche un vistazo general y conozca todos sus perros y cachorros. Asegúrese de estar satisfecho con las condiciones del lugar donde se encuentran los perros y sus perreras.

■ Cuente con ser entrevistado por el criador y responda honestamente sus preguntas porque con eso le ayudará a encontrar el cachorro que mejor se ajuste a usted y a confirmarle que será un dueño apropiado.

Elegir el
cachorro adecuado

Usted ya está listo para seleccionar su cachorro. Ha decidido que es la persona adecuada para el Pit Bull Terrier y que puede convivir con este perro combativo, listo y valiente.

Ha revisado la legislación de su distrito concerniente a las razas caninas y ha hablado con sus vecinos sobre la posibilidad de traer un Pit Bull al barrio. Su familia entera está preparada para recibir a este recién llegado que se incorporará no sólo a la casa sino también a sus vidas. Usted ha cumplido con su tarea y ha localizado un criador de prestigio quien tiene una camada disponible.

Usted ha llegado a la hora acordada por ambos y el criador tiene listos los cachorros para que los vea. Debe ser un grupo alegre, limpio y acicalado, perrillos de trufas húmedas, pelajes brillantes y costillas cubiertas por una agradable masa corporal. Ya estará listo para escoger a uno de estos pilluelos y acurrucarlo en sus brazos.

Durante las primeras semanas de vida, mamá es la maestra. Ella enseña a sus cachorros la manera de obrar en el mundo canino.

Debe preguntar al criador si a los progenitores de la camada se les ha sometido a las pruebas de carácter. Las ofrece la American Temperament Test Society (ATTS, Sociedad Estadounidense para las Pruebas de Temperamento), organismo con el cual están familiarizados los criadores responsables de Pit Bulls puesto que someten a prueba a sus perros. El criador le mostrará las planillas con la puntuación, lo que le permitirá determinar con facilidad si los padres de la camada tienen las personalidades que está buscando. Además, constituye un excelente indicio de que tiene delante a un criador responsable.

Las pruebas de temperamento de la ATTS se hacen a los perros que tienen como mínimo 18 meses; los cachorros, por tanto, no se someten a estas pruebas pero sus progenitores sí que pueden ser evaluados. La prueba consiste en un paseo simulado a través del parque o del vecindario donde se presentan situaciones cotidianas, algunas neutrales, otras amistosas y otras amenazadoras. Entonces

Los hermanos de camada juegan a combatir entre sí y arman mucho alboroto entre ellos para determinar cuál es el perro que está a la cabeza del grupo.

Los cachorros maman de sus madres hasta cerca de la sexta semana de vida y deben estar completamente destetados en el momento de irse a sus nuevos hogares.

Los criadores que crían a sus cachorros dentro de la casa, permitiéndoles compartir la vida familiar en lugar de aislarlos en perreras, están haciendo un gran favor a los nuevos propietarios al sociabilizar a los cachorros e irlos preparando para la transición hacia su futura vida dentro de un grupo humano. Para los perrillos es también una gran ventaja.

se observa cómo reaccionan los perros ante esos variados estímulos. Los problemas que se intenta detectar son agresión Pit Bull Terrier habían sido sometidos a la prueba, de los cuales 337 la pasaron, o sea un 83,2 % del total, lo que coloca a

Insista siempre en conocer a la madre de los cachorros y, si es posible, también al padre. Es conveniente asegurarse de que su perro proviene de un plantel de cría cuyo temperamento sea sano y correcto.

sin provocación, pánico sin recuperación y fuerte anulación. Se observa la conducta del perro hacia los extraños, su reacción ante estímulos visuales, táctiles y sonoros, así como su comportamiento autoprotector y agresivo. Durante la prueba, que dura cerca de 10 minutos, el perro va con la correa suelta. Hasta diciembre de 2002, 405

la raza en uno de los más altos porcentajes en cuanto a buen temperamento.

Algunos criadores someterán a prueba el temperamento de sus cachorros valiéndose de un profesional, de su veterinario o de otro criador de perros. Detectarán al más enérgico y al de respuesta más lenta, al de espíritu independiente y al que desea seguir a la manada. Si la camada ha sido sometida a prueba, el criador le sugerirá el cachorro que, en su opinión, se ajusta mejor a su familia. Incluso sin la prueba formal, él conoce bien a cada uno de sus cachorros.

Si no se ha evaluado la camada en cuanto a temperamento, usted mismo puede hacer algunas sencillas pruebas mientras está sentado en el suelo jugando con los perrillos. Mueva la pierna o chasquee los dedos y observe cuál es el cachorro que se le acerca primero. Bata palmas y observe si hay alguno que se aleja de usted. Observe cómo juegan los hermanos entre sí. Fíjese en aquel que tenga la personalidad que le resulte más atractiva porque ése será probablemente el que se lleve a casa. Busque el cachorro que parezca estar «en

El suelo del cubil de los cachorros estará cubierto de algún material suave y absorbente; en un principio, este corral cumple todas las funciones: las de retrete, sala de estar, dormitorio, sala de juegos, etc.

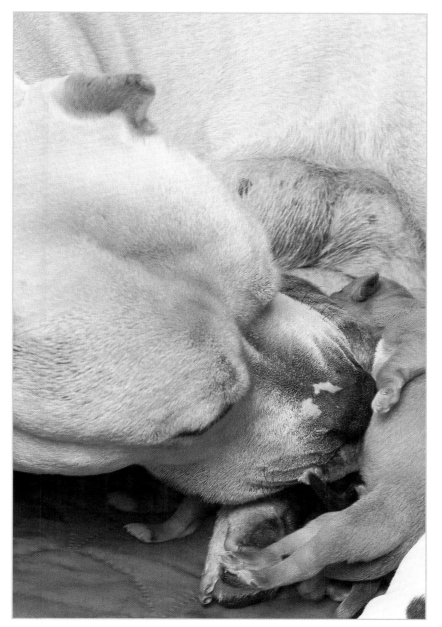

Las hembras de
Pit Bull Terrier
son madres
solícitas que crían
tiernamente a sus
bebés.

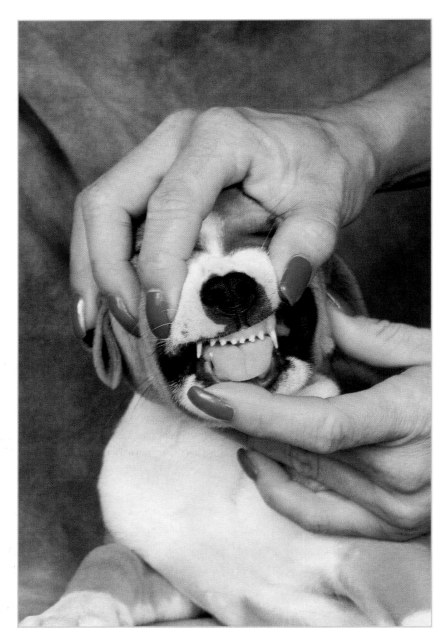

Revise la mordida del cachorro que seleccione. La mandíbula es una característica importante en el Pit Bull Terrier, de manera que su cachorro debe tener sus dientes bien colocados y una boca correctamente formada.

el medio», que no sea demasiado bullicioso, agresivo o sumiso. Usted quiere uno que sea alegre pero no el más salvaje.

Dedique algún tiempo a seleccionar su cachorro. Si no está decidido, diga al criador que le gustaría ir a casa y pensar sobre la decisión que ha de tomar. Se trata de una adición importante a la familia ya que este perro puede estar con usted entre 10 y 15 años. Asegúrese de obtener aquel cachorro con el cual todo el mundo estará contento. Ahora está a punto de traer su nuevo cachorro a casa.

ELEGIR EL CACHORRO ADECUADO

Resumen

■ Visite la camada para que observe los cachorros en acción. Usted busca cachorros sanos y correctos. Deben ser mucho más que «graciosos»; tendrán brillantes ojos, pelajes lustrosos y personalidades estables, en general.

■ Confíe en el criador que haya seleccionado para que le recomiende el cachorro que mejor se ajuste a su personalidad y estilo de vida.

■ Pregunte al criador acerca de las pruebas de temperamento y de salud que haya realizado a los progenitores de la camada y pídale ver los documentos.

■ Tome su decisión cuidadosamente y prepárese para acoger ¡un nuevo miembro en su familia!

Llegada a casa del cachorro

Ya ha seleccionado al cachorro y está listo para traer a casa a este nuevo miembro de la familia. Antes de recibirlo, debe comprar recipientes para el agua y la comida, una correa y un collar.

También debe adquirir una jaula, no sólo para que el cachorro duerma en ella, sino para que permanezca allí cuando se quede solo en casa. En pocas palabras, su cachorro debe aprender que la jaula es su «segundo hogar». En ella se sentirá seguro y protegido. Si se deja al cachorro suelto cuando está solo, pronto se aburrirá y comenzará a mordisquear los muebles, la ebanistería, etc. Manteniéndolo confinado a un área (su jaula) mientras usted está lejos de allí, se evita que cometa travesuras o corra algún peligro. Asegúrese de colocar dentro de la jaula varias toallas o un cobertor lavable para que el cachorro se sienta cómodo.

Si ha de conducir cierta distancia para recoger al cachorro,

Algunas veces los criadores acostumbran a los cachorros a la jaula colocándolos dentro durante breves períodos de tiempo, lo que facilita las cosas para los nuevos dueños. Aunque cuando estén en sus nuevos hogares, ¡habrá sólo un cachorro en cada jaula!

lleve consigo igualmente una o dos toallas, un recipiente para el agua, su correa y su collar. Tome también algunas bolsas de plástico y un rollo de toallas de papel por si al cachorro le diera por hacer sus necesidades en medio de la travesía.

Debe comprender que los cachorros pequeños son como párvulos, por lo que tiene que eliminar cualquier peligro considerable antes de traer uno a su casa. Los cables eléctricos deben levantarse del suelo y esconderse de la vista porque resultan objetos muy tentadores para morder. Las piscinas pueden ser muy peligrosas, así que asegúrese de que el cachorro no pueda entrar o caer dentro. Es necesario levantar algunas barreras para evitar accidentes. No todos los perros pueden nadar y los de patas cortas o cuerpo pesado no son capaces de salir fuera de la piscina. Fíjese en las ventanillas de su guardarropas y asegúrese de que el cachorro no pueda deslizarse por las aberturas. Los productos químicos domésticos resultan igualmente peligrosos, algunos, como los anticongelantes, pueden matar

Las caricias suaves y la atención, pero sin excesos, ayudarán al cachorro a insertarse fácilmente en la vida de su nueva familia y hogar.

Dé tiempo al cachorro para que explore los contornos dentro y fuera de casa, bajo su atenta supervisión, por supuesto.

un perro rápidamente sólo con una pequeña cantidad. Mantenga todos los productos para la limpieza y otras sustancias químicas guardados en áreas donde el cachorro no tenga acceso.

Si tiene niños pequeños, debe asegurarse de que comprendan que un cachorro pequeño es una criatura viviente que debe ser tratada con delicadeza. No pueden montar a caballo sobre él, tirarle de las orejas ni

levantarlo para luego dejarlo caer. Esta responsabilidad es suya. Un niño al que se le enseñe a tratar a los animales desde temprana edad puede convertirse en un compasivo amante y dueño de mascotas para toda la vida.

Utilice el sentido común en cuanto a las medidas de seguridad que habrá de tomar con su cachorro. Piense dónde puede meterse en problemas un niño

Cuando el cachorro de Pit Bull Terrier está en el proceso de dentición prefiere los juguetes suaves, pero tenga presente que sus dientes pueden destruir en un segundo los juguetes rellenos, así que cuando concluya el proceso de la dentición, cómprele juguetes de morder indestructibles elaborados para los perros más fuertes.

Llegada a casa del cachorro

Collar plano de hebilla, puede ser de piel o de nylon avitelado.

Los collares ajustables de nailon, fáciles de quitar, vienen en muchos colores y patrones y son útiles para los cachorros en crecimiento.

Collar de piel enrollada y hebillas de bronce.

Collar de estrangulación o martingale, que también puede ser de nylon.

Collar de estrangulación de eslabones medianos cromados.

Las cadenas tipo serpiente, hechas de bronce, protegen el pelo y se usan a menudo para las exposiciones.

Collar de estrangulación de nylon, que puede ser de muchos colores y grosores.

y encontrará que su cachorro estará justo ¡detrás de él!

Cuando el cachorro entre en casa por primera vez (después de haber hecho sus necesidades fuera), déjelo que eche un vistazo a su nuevo hogar y alrededores. Aliméntelo con una comida ligera y póngale un recipiente con agua. Cuando esté cansado, llévelo afuera para que vuelva a desahogarse y entonces colóquelo en su jaula, lo mismo para

Unas pocas golosinas, y su nuevo Pit Bull se sentirá enseguida ¡como en casa!

echar una siesta que, ojalá, para dormir por toda la noche.

El primer o segundo día deben ser tranquilos para el cachorro porque así tendrá tiempo para acostumbrarse a su nuevo hogar, entorno y familia. La primera noche puede que llore un poco, pero si le coloca en la jaula un osito de peluche o un suéter suave y lanoso, le proveerá de algo de calor y seguridad. También puede ser útil colocarle cerca un reloj de tic tac o una radio tocando música suave. Recuerde que su cachorro ha sido desarraigado de sus hermanos y madre, así como de la figura ya familiar del criador, por eso necesita de uno o dos días para acostumbrarse a su nueva familia. Si llora la primera noche, déjelo, ya que él finalmente se tranquilizará y se quedará dormido. A la tercera noche, debe haberse adaptado. Tenga paciencia y, dentro de una semana o menos, les parecerá a todos, a usted, a su familia y al cachorro, que llevan años juntos.

La alimentación del cachorro es realmente muy fácil. Las compañías fabricantes de comida para perros tienen contratados a muchos científicos y emplean importantes cantidades de dinero en la investigación para determinar cuál es la dieta más saludable para su perro. El criador debe haber estado alimentando a sus cachorros con una comida de primera calidad para perros de su edad, y usted debería continuar utilizando la misma marca. Cuando el perro madure, cambiará para una comida para perros adultos de la misma marca. No añada vitaminas ni cualquier otra cosa a menos que su veterinario se lo sugiera. No crea que cocinándole una dieta especial va a conseguir un producto más nutritivo que lo que las compañías productoras de comida para perros le están ofreciendo.

Probablemente, alimentará al joven cachorro tres o incluso cuatro veces al día. Cuando empiece a crecer, disminuirá el número de veces a dos comidas diarias, una por la mañana y otra por la tarde. Cuando alcance los ocho meses de edad, estará iniciándolo en la comida para perros adultos. Puede revisar el envase del alimento para que vea la cantidad de comida

Su Pit Bull Terrier debe usar todo el tiempo un collar con su chapita de identidad firmemente sujeta.

que debe darle de acuerdo con su peso. Puede añadir agua para humedecer la comida seca y posiblemente una cucharada o algo así de comida canina enlatada para darle sabor. Evite alimentarle con las sobras de la mesa y dele siempre una golosina a la hora de ir a dormir. Mantenga a su perro de manera que sus costillas estén bien cubiertas de carne, pero no deje que engorde. No obstante, mientras

45

La correa del Pit Bull Terrier adulto ha de ser mucho más fuerte que la del cachorro. Para pasear a los perros extrafuertes, como el Pit Bull, muchos dueños prefieren usar gruesos arneses de nylon.

más activo sea el perro más calorías necesitará. Téngale siempre agua fresca disponible. Eso implica tener un recipiente para el agua en la cocina y otro en el jardín o patio para cuando esté fuera.

Ahora ya está listo para un excelente comienzo con su cachorro. A medida que pasen los días, irá descubriendo con diligencia el resto de artículos que necesitará, como algunos juguetes duros para morder y una correa extensible para los paseos en el parque. Necesitará instrumentos para el acicalado y un buen recogedor para limpiar el patio. Estos accesorios podrá adquirirlos según los vaya necesitando en la tienda para mascotas local.

LLEGADA A CASA DEL CACHORRO

Resumen

▓ Tenga preparados los accesorios básicos antes de traer el cachorro a casa. Entre ellos necesitará recipientes para la comida y el agua, un collar con la chapa de identidad, una correa, una jaula, un cepillo y un peine.

▓ Convierta su casa en un lugar seguro para el cachorro eliminando del entorno todos los riesgos posibles, tanto dentro como fuera.

▓ Presente cuidadosamente el cachorro a cada uno de los niños de la casa y supervise sus interacciones.

▓ Dele unos cuantos días al cachorro para que se adapte.

▓ Pida consejo al criador acerca de la dieta apropiada y de los cambios que han de hacerse a medida que el cachorro madure.

Primeras lecciones

Tiene que educar a su perro. Debe comenzar desde el instante en que lo trae a casa. La diligencia que despliegue durante las dos o tres primeras semanas tendrá su recompensa.

La educación de las necesidades fisiológicas de su cachorro de Pit Bull Terrier será una tarea relativamente fácil porque la raza es muy lista.

Cada vez que su cachorro se despierte de una siesta debe conducirlo rápidamente fuera de la casa. Vigílelo y elógielo con un «¡Muy bien!» cuando orine o defeque. Dele una palmadita cariñosa en la cabeza y llévelo dentro. Puede que tenga algunos desuces, pero con un apropiado «No» de su parte, pronto aprenderá que es mejor ir fuera a hacer «sus cosas» que hacerlas en el suelo de la cocina y recibir un regaño.

Usted pronto conocerá los hábitos de su perro. No obstante, en los siguientes casos es

¡Aprenda a reconocer las señales! Esa mirada intensa en la cara del cachorro y la postura medio agachada significan que él necesita «ir» ¡ahora!

esencial que lleve su perro fuera: cuando se levante por la mañana, después de comer, antes de ir a dormir y después de largas siestas. La mayoría de los perros, a medida que maduran, necesitan salir de casa de tres a cuatro veces diarias. Algunos irán hacia la puerta y ladrarán cuando deseen salir y otros empezarán a moverse nerviosamente en círculos. Observe y aprenda las señales de su cachorro. Por supuesto, las jaulas constituyen una ayuda importante en la educación de sus necesidades fisiológicas porque a la mayoría de los perros no les gusta ensuciar sus predios.

Sólo sea paciente durante la educación básica porque a veces puede resultar una etapa difícil. Es simplemente esencial tener un perro casero limpio. La vida será mucho más fácil para usted, por no mencionar cuánto más fácil no será ¡para sus alfombras!

Reconociendo su nombre

El cachorro debe aprender a responder a su nombre y usted debe ser capaz de atraer y man-

Su cachorro aprenderá bastante rápido a ir al lugar que haya elegido para desahogarse.

Aquellos dueños que no disponen de un patio cercado deberán sacar a su perro a hacer sus necesidades con la correa puesta; recuerde siempre limpiar las deposiciones.

tener su atención. Puede lograrlo a través de una asociación positiva con el nombre del cachorro: «!Qué guapo Gustavito!», y también con golosinas. Definimos golosinas como pequeños bocadillos preferentemente suaves y fáciles de masticar. Rebanaditas finas de perro caliente cortadas en cuatro partes pueden funcionar bien y también trocitos de queso y pollo cocido.

Si tiene un patio cercado, enseñe a su cachorro a hacer sus necesidades siempre en la misma área. Comience por conducirlo allí con la correa puesta cada vez que lo saque.

Comience llamando a su Pit Bull Terrier por su nombre. Una vez. No dos o tres veces, sino una. De lo contrario, aprenderá que tiene un nombre en tres partes y cuando usted lo diga una vez lo ignorará. Comience usando el nombre cuando no esté distraído y usted esté convencido de que le mirará; inmediatamente que lo haga, ofrézcale una golosina. Repítalo por lo menos doce veces, varias veces al día. No tardará más de un día aproximadamente para que entienda que su nombre significa algo bueno para comer.

Cuente el tiempo

Todos los perros aprenden sus lecciones en presente. Tiene que sorprenderlo en el acto (bueno o malo) para premiarlo o disciplinarlo. Usted cuenta con cinco segundos para comunicarse con el perro, de lo contrario él no va a entender qué fue lo que hizo mal. Contar el tiempo y ser constante son las claves que tiene para obtener buenos resultados al enseñar a su perro cualquier conducta nueva o para corregirle las malas.

Mientras lo adiestra, tenga presente lo siguiente: usar el sentido común, ser constante y tener paciencia. Justo cuando usted piensa que no hay nada que hacer, su cachorro se convierte en un perfecto caballero.

La educación de las necesidades fisiológicas es la clave para que todos los interesados, humanos y caninos, disfruten de una vida limpia.

PRIMERAS LECCIONES

Resumen

■ El primer reto de todos los dueños de cachorros es la educación básica, que consiste en enseñarles a mantener hábitos higiénicos dentro de la casa.

■ Esté al tanto de los momentos en que su cachorro necesita salir fuera de la casa y elógielo siempre cuando haga sus necesidades donde debe.

■ Enseñe a su cachorro a responder a su nombre y prestarle atención.

■ Enseñe al cachorro a comportarse bien cuando vaya dentro del coche, y siempre anteponga su seguridad cuando se encuentre de viaje.

■ Comprenda que para que su perro se dé cuenta de sus intenciones cuando lo recompensa o lo regaña por haber hecho algo, debe sorprenderlo cometiendo el acto.

Educación
inicial

Cuando llegue el momento de llevar su cachorro a casa, él deberá estar bien sociabilizado.

Estará acostumbrado tanto a la familia como a los extraños. Los ruidos domésticos y callejeros no deberán asustarlo. La sociabilización del cachorro es muy importante y por eso los buenos criadores la comienzan lo antes posible. Todavía es mejor aún cuando el criador tiene niños en casa porque el cachorro se habrá acostumbrado a ellos.

Una vez que se adapte a su nueva casa, permítale conocer a los vecinos y jugar durante algunos minutos. Sáquelo a dar cortos paseos por lugares públicos donde pueda ver gente y otros perros, así como escuchar ruidos extraños. No obstante, esté atento porque los otros perros no son siempre amistosos. Mantenga el suyo con la correa corta para poderlo controlar y no pueda

Pasar tiempo con su madre es, en sus comienzos, parte del proceso de sociabilización y el primer tipo de educación que el cachorro recibe.

saltar sobre ninguna persona o perro.

Es imperativo que su perro mantenga una buena conducta y buenos modales, por eso hay ciertas órdenes básicas que tanto usted como él deben comprender y aprender a fin de convertirlo en un mejor ciudadano. Uno de los miembros de la familia debe asistir a un cursillo para cachorros pequeños, de donde pueden derivarse luego otros tipos de adiestramiento y actividades. Estos cursos duran cerca de ocho semanas y aceptan cachorros de entre dos y cinco meses de edad. Allí aprenderá lo básico, a sentarse, caminar junto al tobillo, echarse y responder (venir). Todo ello será de gran ventaja para ambos. Tanto la orden de sentarse como la de caminar junto a usted resultan muy útiles cuando está paseando con su perro. ¿A quién le gusta tener un cachorro que camina entre los pies, tirando de la correa o retrasándose y actuando, en resumen, como un atolondrado? Es mejor que su perro camine a su lado izquierdo como un caballero y se

Con una raza como el Pit Bull Terrier es extraordinariamente importante comenzar pronto la sociabilización y mantenerla toda la vida. Usted desea un perro de buen comportamiento y tratable frente a otros perros y personas.

Tendrá el mayor éxito posible en el adiestramiento si empieza cuando su cachorro es aún muy joven, cuando no tiene nada más en mente sino mostrarle cuánto le ama y desea complacerle.

siente mientras ambos esperan para cruzar la calle. El llamado (ven) es muy importante cuando el perro se escapa del jardín o cuando rompe la correa. Necesitará llamarlo para que regrese y estar seguro de que le obedecerá sin titubeos.

En las páginas siguientes se da una ligera explicación sobre las órdenes. Si asiste a un cursillo para cachorros o a clases de adiestramiento en obediencia, obtendrá ayuda profesional para instruirse. Sin embargo, usted y su perro pueden aprender estos ejercicios elementales por su cuenta.

La orden de sentarse

Éste es el primer ejercicio que debe enseñarle. Coloque el perro a su lado izquierdo mientras usted se mantiene de pie y le dice firmemente: «Siéntate». Mientras dice esto, deje correr su mano hacia el dorso de su perro y presiónelo suavemente en la grupa para que se siente. Elógielo y manténgalo en esta posición durante pocos minutos, entonces quite la mano, elógielo de nuevo y dele una golosina.

Repita esto varias veces al día, si es posible unas diez veces durante el día. Antes de que pase mucho tiempo, su cachorro entenderá lo que usted desea.

La orden de venir

Esta orden tiene un potencial vitalicio... pues evitará que su Pit Bull Terrier salga corriendo a la calle detrás de una ardilla, un niño o una bicicleta, por citar sólo tres cosas de una lista interminable.

Practique siempre esta orden con el perro bajo correa. No puede correr el riesgo de fallar porque entonces su cachorro aprenderá que no tiene que venir cuando se le llame. Una vez que ha obtenido su atención, llámelo desde una distancia corta con un «¡Ven, perrito!» (utilice una voz alegre) y dele una golosina cuando venga. Si vacila, dele un suave tironcito con la correa. Sostenga el collar con una mano mientras con la otra le da la golosina. Esto es importante. Finalmente, suprimirá la golosina y le premiará únicamente con un elogio oral. Este procedimiento sirve también para relacionar el hecho de sostener el collar con el de venir y premiar, lo que le será útil en incontables comportamientos futuros. Repita el ejercicio de diez a doce veces, dos o tres veces al día. Una vez que el cachorro haya dominado la orden de venir, continúe practicando diariamente para grabar este importante comportamiento en su cerebro. Los dueños experimentados de Pit Bull Terrier saben, sin embargo, que nunca se puede confiar completamente en que estos perros vendrán al ser llamados si se encuentran enfrascados en un «trabajo por cuenta propia». Por eso, «sin correa» suele ser sinónimo de «sin control».

La orden de quedarse quieto

Enseñe a su perro a permanecer en la posición de sentado hasta que le llame. Haga que se siente, y dígale «Quieto» mien-

Mientras le ordena a su perro que se «siente», utilice una mano para empujarle suavemente por la grupa y así guiarle hacia la posición de sentado a la vez que sostiene su correa con la otra mano.

tras le coloca la mano frente a la trufa y da un paso o dos –no más al principio– alejándose de él. Después de pasados 10 segundos o algo así, llámelo. Si se pone de pie antes de eso, haga que se siente de nuevo y repita la orden de quieto. Cuando se quede sentado hasta que se le llame (recuerde que al principio el periodo de tiempo debe ser muy breve), elógielo y dele una golosina. A medida que vaya aprendiendo a obedecer la orden, vaya usted incrementando el espacio que le separa de él y la cantidad de tiempo en que le deja en la posición de «quieto».

La orden de caminar

Coloque al perro a su izquierda, con la correa puesta y enséñele a caminar a su paso. Si se adelanta, tire breve pero enérgicamente de la correa y diga firmemente: «No». Entonces continúe caminando y elogie al perro si se mantiene marchando a su lado sin problemas. Si vuelve a adelantarse,

El adiestramiento debe hacerlo una sola persona. «Muchos cocineros echarán a perder la sopa» y confundirán al perro.

vuelva a tirar brevemente de la correa y pronuncie un claro: «No». Pronto aprenderá que es mejor y más agradable caminar a su lado. No le permita nunca que arremeta contra ninguna persona que pase por su lado.

La orden de echarse

Ésta es probablemente la más complicada de enseñar de las cinco órdenes básicas. Coloque al perro en la posición de sentado, arrodíllese cerca de él, ponga su mano derecha debajo de sus patas delanteras y la izquierda sobre la cruz del perro. Mientras dice suavemente «Échate», empuje con delicadeza sus patas delanteras hacia la posición de echado.

Puede que usted prefiera coger una golosina y moverla frente a él en dirección hacia el suelo de manera que, siguiéndola, asuma la posición de echado. Una vez que esté echado, háblele con suavidad, acarícielo en el dorso para que se sienta cómodo y entonces elógielo y prémielo con la golosina.

Una gran parte del adiestramiento consiste en paciencia,

Es imperativo que enseñe a su Pit
Bull Terrier a caminar junto a usted.
Se trata de una raza demasiado
fuerte para permitirle indisciplinas
cuando le lleva de la correa.

PIT BULL TERRIER

La posición de echado indica
sumisión y por eso a los perros no
les gusta. Una vez que su perro la
haya aprendido, puede comenzar a
enseñarle el quieto/echado igual que
le enseñó el quieto/sentado.

persistencia y rutina. Utilice siempre la misma orden verbal y enséñesela siempre de la misma manera. No pierda la paciencia con el perro porque él no entenderá lo que está usted haciendo. Prémielo –siempre con elogios y a veces con golosinas– por ejecutar la orden correctamente. El cachorro de Pit Bull Terrier aprenderá estas órdenes muy rápidamente. Cuando sus amigos vengan a cenar a su casa, admirarán lo bien educado que está su perro porque no les saltará encima ni se les encaramará en el regazo mientras estén tomando sus cócteles.

EDUCACIÓN INICIAL

Resumen

■ La base del adiestramiento comienza con la sociabilización del perro a través del contacto con personas, perros y situaciones ajenas a la familia y el hogar.

■ Considere la posibilidad de matricularse en un cursillo para cachorros a fin de empezar el adiestramiento en un ambiente colectivo, ya que allí compartirá las enseñanzas con otras personas y sus cachorros, además de con los entrenadores profesionales.

■ Las órdenes básicas incluyen: siéntate, ven (llamado), quieto, camina y échate.

■ Use el elogio y las golosinas durante el adiestramiento. Utilice el refuerzo positivo para motivar a su Pit Bull Terrier a ejecutar las órdenes de manera confiable.

■ ¡Manténgase practicando! Su Pit Bull Terrier aprende rápido y usted estará feliz de tener un compañero canino educado y de buen comportamiento.

En cada hogar con mascota debe haber un botiquín de primeros auxilios.

Puede adquirir todos los artículos de una vez para así tenerlos listos o puede ir añadiéndolos al botiquín (consérvelo todo junto dentro de una caja) a medida que los vaya necesitando. He aquí algunos de los artículos que necesita:

- Alcohol para limpiar heridas.
- Ungüentos antibióticos para las heridas.
- Limpiadores oculares (de venta no restringida) para cuando su perro tenga algo en los ojos y necesite limpiárselos así como para eliminar la rojez.
- Pinzas para extraer parásitos, espinas y astillas.
- Polvo estíptico para detener la sangre cuando se corte demasiado una uña.
- Termómetro rectal.
- Media de nylon para usarla como bozal en caso de que su mascota resulte mal herida.

¿Quién sabe cuántas plagas se ocultan en la hierba alta? Revise la piel y el pelaje de su Pit Bull para detectar cualquier anormalidad.

Puede adquirir muchos de estos artículos por un precio muy razonable en la farmacia local; quizás hasta tenga algunos de ellos en casa. Infórmese sobre los primeros auxilios caninos para que pueda reconocer en su perro los signos de emergencia y emprender inmediatamente la acción correcta mientras espera el criterio del veterinario.

Cuando su perro haya madurado y si se encuentra bien, sólo necesitará ir a la consulta veterinaria una vez al año para un reconocimiento general y la reactivación de sus vacunas. Durante estas visitas el veterinario debe realizar siempre una evaluación dental completa e, incluso, exprimir las glándulas anales del perro.

Puede adquirir un equipo dental y limpiar los dientes del perro entre una y otra consulta veterinaria. Colóquelo sobre la mesa de acicalado y raspe el sarro suavemente. Algunos perros se dejarán hacer y otros no. Una opción más fácil es cepillarles los dientes regularmente con un cepillo y pasta dental especialmente hechos

El tiempo que pases cada día con tu Pit Bull te ayudará a conocer mejor los hábitos de tu perro y a saber lo que le gusta y lo que no. En seguida te darás cuenta de si «está de malas».

Comience a inspeccionar la boca de su Pit Bull Terrier desde que es cachorro; con el tiempo aprenderá a tolerar este tipo de procedimiento.

para perros. Una golosina canina todas las noches antes de dormir ayudará también a mantener los dientes limpios de sarro.

Exprimir las glándulas anales del perro no es una tarea precisamente agradable, además del olor que se desprende. Puede que prefiera que lo haga el veterinario durante la visita anual a la clínica. Pero a veces las glándulas pueden congestionarse y en este caso sí que necesitará de su concurso para vaciarlas.

A estas alturas usted ya conoce bien a su perro, sabe cuánto come y cuánto duerme, y cuán rudo es al jugar. Como les ocurre también a las personas, puede que alguna vez rechace la comida o parezca estar enfermo. Si ha tenido náuseas y/o diarreas durante 24 o 36 horas, o si ha estado bebiendo demasiada agua durante los últimos cinco o seis días, es necesario llevarlo al veterinario. Concierte una cita y explique a la recepcionista el motivo por el cual desea llevar a su perro a la consulta.

El veterinario le hará las siguientes preguntas:

- ¿Cuándo hizo su última comida normal?
- ¿Durante cuánto tiempo ha tenido diarrea o vómitos?
- ¿Ha comido algo en las últimas 24 horas?
- ¿Pudo haberse comido un juguete, un pedazo de tela o cualquier otra cosa poco usual?
- ¿Está bebiendo más agua que nunca?

El veterinario lo examinará, le tomará la temperatura y el pulso, escuchará su corazón, explorará su estómago para comprobar si hay algún bulto, revisará el color de sus encías y observará sus ojos y orejas.

Probablemente, le hará también análisis de sangre para llevar a cabo algunas pruebas.

Al final del reconocimiento pueden ocurrir varias cosas: que el veterinario le recete algunos antibióticos y le permita llevarse el perro a casa, que le tome algunas radiografías o que decida mantenerlo por una noche bajo observación. Si sigue las instrucciones del veterinario verá como es casi seguro que su perro volverá a la normalidad en uno o dos días. Mientras tanto, ali-

En verano los perros pueden sucumbir a un golpe de calor. Si están fuera de casa deben disponer de abundante sombra, y si se sofocan mucho una toalla húmeda les ayudará a mantenerse frescos.

méntelo con comidas ligeras y manténgalo tranquilo, quizás confinado en su jaula.

Los parásitos pueden constituir un problema y hay algunos de ellos ante los cuales debe estar alerta. Las filarias pueden resultar mortales y se les halla con mayor probabilidad en unas partes del país que en otras. Las filarias o gusanos del corazón se multiplican mucho y llegan a envolver con sus cuerpos el corazón del perro. Si el animal no recibe tratamiento, al final morirá. Pregunte a su veterinario si su perro debe ser sometido a análisis para detectar la presencia de filarias. Si le dice que sí llévelo a la clínica, donde le harán el análisis correspondiente y sabrá si está libre de este parásito; luego le pondrán un medicamento preventivo. Esto es importante, especialmente si usted vive en una zona donde proliferan los mosquitos porque son los que transmiten las filarias.

El examen manual es la única vía para detectar los problemas que no pueden apreciarse a simple vista. Cuando acariciamos y abrazamos regularmente a nuestras mascotas, podemos detectar pequeños bultos, protuberancias, etc., ocultas bajo el pelaje.

Las pulgas también son un problema, pero especialmente en las zonas más cálidas del país. Puede adquirir un talco o un collar antipulgas en la tienda para mascotas o preguntar a su veterinario qué podría utilizar. Si sospecha que su perro tiene pulgas, acueste a su perro de lado, separe el pelo de la piel y observe si las ve saltando.

Las garrapatas son más frecuentes en las áreas donde hay

muchos árboles. Las garrapatas son pequeñas (al principio) y oscuras, y les gusta aferrarse a las partes más cálidas de las orejas, a las axilas, los pliegues de la cara, etc. Mientras más tiempo permanezcan en el perro, más grandes se harán porque se alimentan de su sangre y llegan a alcanzar el tamaño de una moneda. Tome sus pinzas y extraiga cuidadosamente las garrapatas asegurándose de no dejar sus te-

nacillas en la piel del perro. Inmediatamente arrójelas por el retrete y descargue o encienda un fósforo y aniquílelas. Coloque alcohol sobre la herida y úntele con ungüento antibiótico.

Para hacer frente a los problemas de salud que pueda confrontar su perro, déjese guiar por su sentido común, por un buen veterinario y por el conocimiento que tenga de su perro.

CUIDADOS DOMÉSTICOS

Resumen

■ Prepárese informándose sobre primeros auxilios y adquiriendo los artículos que necesitaría en caso de emergencia.

■ Usted es el dentista de su perro. Es probable que su veterinario le haga una limpieza dental anual pero, entre una y otra consulta, usted es quien cuida de los dientes del perro.

■ Conozca los signos de enfermedad y acuda al veterinario sin demora cuando algo vaya mal. Luego, siga sus instrucciones.

■ Su veterinario le recomendará antiparasitarios preventivos seguros y cómo comprobar si su perro tiene parásitos internos o externos.

CAPÍTULO 10

Alimentación del Pit Bull Terrier

Cuando planifique un programa de alimentación para su cachorro de Pit Bull Terrier, lo mejor es pensar en «calidad» y no en «dinero».

La baja calidad nutritiva de algunas de las más baratas comidas caninas no proporciona al perro un producto completamente digerible ni contiene el adecuado balance de vitaminas, minerales y ácidos grasos que necesitan sus músculos, piel y pelaje para estar sanos. Investigaciones sobre la nutrición canina han probado también que es necesario dar al perro mayores cantidades de comida barata para mantenerlo sano y en condiciones apropiadas. Para conservar a su Pit Bull en condiciones óptimas proporciónele una comida canina de calidad apropiada para su edad y estilo de vida. Pida el veterinario y al criador que le recomienden una buena comida integral.

Las empresas productoras de comida canina de excelencia han desarrollado fórmulas con con-

¡No olvide el agua! Los perros necesitan mantenerse hidratados al igual que las personas, incluso más cuando hace calor y practican ejercicios.

troles de calidad estrictos, utilizando sólo buenos ingredientes que obtienen de fuentes confiables. Las etiquetas que aparecen en las bolsas de comida le informarán sobre los ingredientes que contienen (cordero, pollo, maíz, etc.), que aparecerán en orden descendente de acuerdo con el peso o la cantidad en que se encuentren. No añada suplementos, sobras de la mesa o vitaminas extra a la comida. Lo único que conseguirá con ello es alterar su balance nutritivo, lo que puede afectar el patrón de crecimiento de su cachorro de Pit Bull o el de mantenimiento del adulto. Algunas «comidas humanas» como el chocolate y las cebollas son incluso tóxicas para los perros.

Existen suficientes opciones de comidas caninas como para confundir a los perreros experimentados. Las principales marcas ofrecen ahora comidas para cada tamaño, edad y nivel de actividad. Al igual que los niños, los cachorros necesitan una dieta diferente a la de los perros adultos. Las nuevas fórmulas para el crecimiento contienen niveles de proteínas y grasas apropiadas

Es la hora de cenar para esta ¡hambrienta camada! Los criadores están al corriente de las mejores comidas formuladas para el crecimiento que se les pueden dar a los Pit Bull y comienzan a alimentar a los cachorros con dietas de calidad. La mayor parte del crecimiento se produce dentro del primer año de vida y por ello en ese período la dieta óptima es esencial.

La dieta del Pit Bull Terrier es muy importante porque viene a ser el combustible que mantiene a este atlético perro en forma óptima. Analice con el criador y con el veterinario las necesidades dietéticas de los perros activos.

para los diferentes tamaños de las razas caninas. Los perros de razas grandes y de rápido crecimiento necesitan menos proteínas y grasas durante los primeros meses de veloz crecimiento, porque resulta mejor para el desarrollo saludable de las articulaciones. Como consecuencia, las razas medianas (como el Pit Bull) tienen también diferentes requerimientos nutritivos durante el primer año de crecimiento.

No se intimide ante todas esas bolsas de comida canina que va a encontrar en los escaparates de las tiendas. Lea las etiquetas, pregunte al criador y al veterinario qué comida le recomendarían para su cachorro de Pit Bull. Una educación sólida en la materia le proporcionará las herramientas que necesita para brindar a su perro la mejor dieta para su salud a largo plazo.

Si tiene pensado cambiar la comida que el criador estaba dando al cachorro, lleve a casa un poco de ella para mezclarla con la que piensa usted darle y así ayudarlo a que se vaya adaptando a ella.

¿Cuándo y cuánta comida hay que dar al cachorro? A las ocho semanas de edad debe comer tres veces al día. Estómagos pequeños, raciones pequeñas. Alrededor de las doce semanas puede empezar a darle sólo dos raciones al día. La mayoría de los criadores sugiere dar dos comidas diarias a los perros, sin importar la raza. Esto cobra importancia en el caso del Pit Bull Terrier. Raciones más pequeñas en lugar de una sola gran comida también ayudan a evitar la posibilidad de la timpanitis (o torsión gástrica); algunas teorías sugieren que engullir grandes cantidades de comida y beber grandes cantidades de agua inmediatamente después de comer pueden contribuir a propiciar el problema.

Otra medida preventiva contra la timpanitis incluye no hacer ejercicios fuertes por lo menos una hora antes y dos horas después de las comidas. Asegúrese de que su perro no esté sobreexcitado a la hora de la comida. Se cree que los perros nerviosos y sobreexcitados son más propensos a este padecimiento que puede costarles la vida. Eleve del suelo los platos de la comida y del agua de su Pit Bull Terrier.

No es recomendable la dieta a libre demanda, o sea, dejar un plato con comida a disposición del perro todo el día. Este método promueve hábitos negativos y hace al perro selectivo, se acostumbra a escoger un bocadillo aquí, un gránulo allá. También tiende a hacerlo más posesivo en cuanto a sus recipientes de comida, y promueve un problema de comportamiento que comienza con la agresividad y la protección de los bienes propios. Las comidas programadas le recuerdan a su Pit Bull Terrier que todas las cosas buenas provienen de su dueño.

Programar las comidas permite también predecir cuándo el perro va a desahogarse, lo que es mucho mejor cuando se le enseña la educación básica. Las comidas regulares le ayudan a saber a usted cuánto y cuándo come su cachorro, lo que resulta una valiosa información sobre su salud (los cambios en los hábitos alimenticios pueden señalar un problema).

Como las personas, los cachorros y los perros adultos tienen apetitos diferentes. Algunos dejarán perfectamente limpios

Diferentes vías para evitar la timpanitis

La timpanitis se define como un problema durante el cual el estómago gira sobre sí mismo y provoca que se detenga el flujo sanguíneo, y de ahí el shock y la muerte, si no se trata rápidamente. Pregunte a su veterinario cuáles son los síntomas de la timpanitis y tome medidas diarias de precaución. He aquí algunos consejos para evitar que su perro trague aire mientras come o se le altere la digestión:

■ Compre comida de alta calidad, la cual tiene un contenido nutritivo más alto y menos residuos. Analice el granulado arrojándolo dentro de un vaso de agua. Si se hincha varias veces su tamaño, pruebe con otra marca.

■ Adquiera un soporte para platos, de manera que pueda elevar los del agua y la comida de su perro. Los perros no deben encorvar el cuello mientras comen.

■ No ejercite a su perro una hora antes o dos horas después de las comidas.

■ No permita nunca que su perro engulla la comida o el agua. Ofrézcaselas cuando esté calmado.

■ Coloque objetos grandes no tragables dentro del recipiente junto con la comida para evitar que el perro la «absorba» en dos bocados.

sus recipientes y aún pedirán más mientras que otros andarán escogiendo la comida y hasta dejarán alguna sin tocar. No sobrealimente al perro. Los cachorros regordetes pueden resultar graciosos, pero el sobrepeso afectará sus articulaciones en crecimiento. La obesidad puede ser un factor desencadenante en la displasia de codo y de cadera. Los cachorros pasados de peso tienden a convertirse en adultos obesos, lo que les hará más susceptibles de padecer otros problemas de salud.

Recuerde siempre que la esbeltez, al contrario de la gordura, es saludable. La obesidad es uno de los más importantes asesinos de perros. Simplemente, un perro esbelto vive más que uno gordo. Además, piense en la mejor calidad de vida del perro

Las empresas productoras de comidas caninas dedican mucho tiempo e investigaciones para lograr una nutrición completa y equilibrada que satisfaga las necesidades de los diferentes perros, de acuerdo con su tamaño, edad, nivel de actividad y otros requisitos especiales de salud. Debe escoger la dieta que mejor se ajuste a su Pit Bull.

esbelto, capaz de correr, saltar y jugar sin la carga de 5 o 10 kilos de más.

¿Qué es mejor, la comida enlatada o la seca? Y esta última ¿debe dársele con agua o sin ella? La comida seca es la recomendada por la mayoría de los veterinarios porque las partículas secas ayudan a mantener los dientes libres de sarro o placas. Lo de añadirle agua es opcional. Se cree que añadirle un poco de agua justo antes de servirla, realza el sabor de la comida a la vez que se preservan sus beneficios dentales. Ya se le dé granulado seco o humedecido, es necesario que el perro disponga de agua potable todo el tiempo, pero teniendo siempre presente que tomar grandes cantidades de agua junto con la comida así como engullir el agua no son buenos en el caso del Pit Bull.

Para complicar el dilema de la comida canina, existen también comidas no cocidas para aquellos que prefieren alimentar a sus perros con dietas completamente naturales en lugar de las tradicionales comidas caninas industriales. El debate alrededor de las comidas crudas y/o naturales frente a las manufacturadas es violento; los defensores de las comidas crudas sostienen que éstas han curado a sus perros de alergias y otras enfermedades crónicas. Indague con su veterinario y pregunte al criador si es que desea explorar este método de alimentación.

Si su perro adulto está excedido de peso puede cambiar a una comida «ligera» que tenga menos calorías y más fibra. Las comidas para perros ancianos o mayores están preparadas para satisfacer las necesidades de animales menos activos. Las dietas de «funcionamiento» contienen más grasas y proteínas para los perros que compiten en disciplinas deportivas o que viven vidas muy activas.

Lo importante es que el alimento y la cantidad que da a su perro son factores principales que pesan sobre su salud general y longevidad. Merece la pena invertir tiempo y dinero extra en determinar la mejor dieta para su Pit Bull Terrier.

ALIMENTACIÓN DEL PIT BULL TERRIER

Resumen

■ La calidad es prioritaria a la hora de seleccionar la comida del Pit Bull. Ofrecerle una comida canina de alta calidad es la manera más conveniente y fiable de proporcionarle la nutrición completa que necesita su salud.

■ Analice con su veterinario y/o criador el programa de alimentación y las cantidades basándose en el nivel de actividad de su Pit Bull Terrier.

■ Evite las comidas a libre demanda porque conducen a hacer al perro selectivo y desordenado en el comer, obeso y a desarrollar una conducta posesiva.

■ La timpanitis es un padecimiento grave relacionado con ciertos hábitos de comida y ejercicios, que afecta a los perros de pecho profundo. Analice con su veterinario tanto la manera de prevenirla como sus síntomas, de modo que pueda detectarla con la rapidez necesaria y llevar a su perro al veterinario en el momento en que note el primer síntoma.

Acicalado
del Pit Bull Terrier

Antes de adquirir su perro debe ser consciente de que él necesitará algún tipo acicalado y que se le dedique atención a su limpieza.

No obstante, una gran ventaja del Pit Bull Terrier es que el acicalado es mínimo, a diferencia del Caniche o de cualquier otra raza que necesite mucho arreglo.

Un cepillo de cerdas entre suaves y no tan suaves es lo que necesita para mantener el pelaje de su perro limpio y brillante. Por lo general, bastará con un cepillado semanal. El cepillo puede adquirirlo en la tienda para mascotas de su localidad. El baño se recomienda cuando el perro está muy sucio pero, a menudo, la limpieza de rutina puede efectuarse pasándole un paño húmedo. Los baños frecuentes eliminan los aceites importantes del pelaje y lo tornan reseco.

Es importante cortar las uñas del perro y lo mejor es

Limpie las orejas de su perro con la ayuda de una mota de algodón o un paño suave y algún producto limpiador de oídos. Seguro que lo encontrará en la tienda para mascotas de su localidad.

empezar la primera semana de su llegada a la casa. Compre un cortaúñas de calidad, hecho para las mascotas. Si quiere, compre también un lápiz estíptico para el caso en que corte demasiado una uña y sangre. Si las uñas de su perro son claras, le será fácil observar el vaso sanguíneo que corre dentro de cada una. No obstante, es más difícil verlo cuando las uñas son oscuras, de modo que puede cortar el vaso sin querer cuando aún no tenga mucha experiencia cortando uñas. Si no comienza este procedimiento cuando el perro es joven para que se acostumbre a él, tendrá graves dificultades cuando haya crecido, sea más difícil aguantarle y haga más resistencia a que le corten las uñas.

Para decirlo en pocas palabras: es un perro fácil de acicalar. Cepíllelo por lo menos una vez a la semana, córtele las uñas todos los meses, asegúrese de que sus oídos, ojos y dientes estén limpios y límpielo con un paño húmedo cuando sea pertinente. Báñelo sólo cuando sea necesario. Así

¿Quién dijo que el baño no podía ser divertido? En los días calurosos, un buen manguerazo ayuda a que el perro se refresque y se sienta mejor.

Los ojos del Pit Bull Terrier deben estar siempre claros y brillantes; las áreas circundantes deben estar limpias y libres de manchas causadas por las lágrimas. Cualquier nubosidad en el ojo u otros cambios visibles deben consultarse con el veterinario.

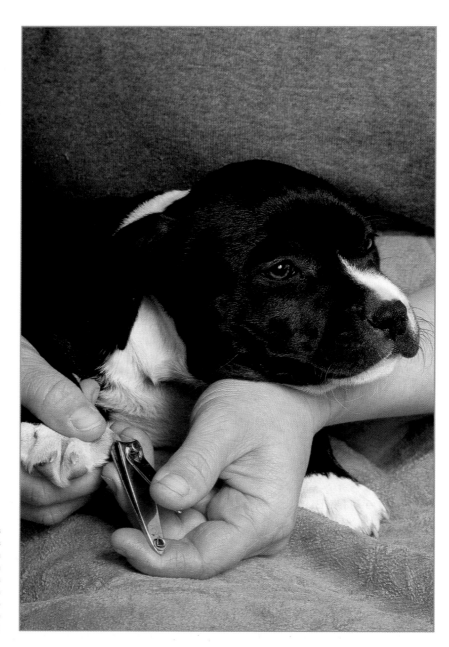

Los cortaúñas
para perros
facilitan la tarea
bueno, la facilitan
hasta donde es
posible, porque
iningún perro
disfruta el corte
de uñas!

tendrá un perro lim-
pio y agraciado, ¡que
le hará sentirse orgu-
lloso!

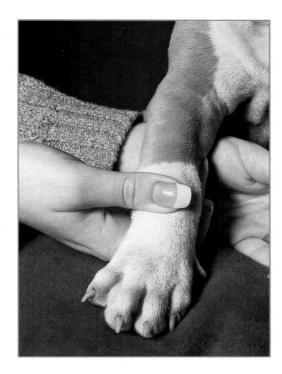

Es más fácil
cortar las uñas
cuando los perros
las tienen claras
porque se puede
ver el vaso
(llamado «línea de
sangre») y evitar
cortar demasiado
cerca de él.

ACICALADO DEL PIT BULL TERRIER

Resumen

■ Aunque el Pit Bull Terrier necesita muy poco acicalado, el mantenimiento adecuado del pelaje es parte vital de la salud integral del perro y debe comenzarse cuando el cachorro es pequeño.

■ El dueño de Pit Bull Terrier debe atender el pelaje de su perro, igual que sus uñas, oídos, ojos y dientes.

■ Sólo tendrá que bañar a su Pit Bull Terrier ocasionalmente. Pasarle un paño por el cuerpo lo mantendrá limpio entre un baño y otro.

■ Su Pit Bull Terrier se verá formidable con su pelo brillante y pulido.

Cómo mantener activo
al Pit Bull Terrier

Muchos dueños de perros buscan la manera de enrolarse con sus mascotas en actividades que resulten desafiantes para ambos.

Y hay muchas que pueden mantener a usted y a su perro muy ocupados, activos e interesados. Por su inteligencia, tenacidad y deseo de complacer, los Pit Bulls pueden destacarse en muchos campos. Después de pasar el cursillo para cachorros, puede considerar encaminar sus esfuerzos hacia la obtención del título Buen Ciudadano Canino o similar (pregunte en el club de la raza o sociedad canina de su zona). Se trata de un programa que, cuando se completa con éxito, demuestra que su perro sabe comportarse perfectamente en casa, en lugares públicos y en compañía de otros perros. En estos cursos se pueden se matricular los perros (sean o no de raza) de cualquier edad. Las clases resultan divertidas y de utilidad para la vida cotidiana.

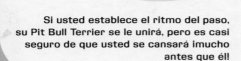

Si usted establece el ritmo del paso, su Pit Bull Terrier se le unirá, pero es casi seguro de que usted se cansará ¡mucho antes que él!

Hay diez pasos, que incluyen aceptar a un extraño amistoso, sentarse cortésmente para recibir una caricia, aceptar que un desconocido le acicale y le examine ligeramente, caminar con la correa floja, venir cuando se le llama, responder con calma ante otro perro, responder ante distracciones, echarse a la orden y permanecer tranquilo durante tres minutos mientras el dueño está fuera de su vista. Cuando consiga hacer todo esto exitosamente su perro recibirá un certificado de Buen Ciudadano Canino.

La Obediencia es un deporte donde el Pit Bull Terrier puede descollar. Las competiciones de Obediencia son organizadas independientemente o dentro del marco de las exposiciones de belleza. También cuentan con diferentes niveles de dificultad. Los reglamentos de las pruebas de Obediencia, los ejercicios que debe ejecutar el perro y los títulos que puede ganar varían en dependencia de la asociación canina que las organice. Algunos de los típicos ejercicios avanzados incluyen trabajar sin correa, responder a señales ma-

Inicie siempre las actividades nuevas con estímulo, elogios y, por supuesto, ¡golosinas! Premie a su Pit Bull Terrier por aprender cosas nuevas.

Aunque no es un perro de caza, su Pit Bull Terrier puede disfrutar, como cualquier cobrador, de los juegos que impliquen recobrar objetos

Cómo mantener activo al Pit Bull Terrier

¡Para creerlo hay que verlo! El Pit Bull Terrier puede quedar colgando fácilmente en medio del aire agarrando una soga con sus extraordinariamente fuertes dientes y mandíbulas.

nuales y escoger y devolver la herramienta adecuada dentro de un grupo de ellas, pero los niveles menos avanzados resultan mucho más fáciles; consisten, sobre todo, en variaciones de las órdenes básicas. Es una gran satisfacción para el dueño y su perro cuando éste gana un título de obediencia en los más altos niveles.

El Circuito de Agilidad (Agility), que comenzó en Inglaterra, es un deporte relativamente nuevo y puede ser visto en las exposiciones caninas. Localice la mayor y más bulliciosa de las pistas donde verá competidores y perros corriendo a través de un circuito de obstáculos mientras los emocionados espectadores observan desde fuera y los aclaman y estimulan con sus gritos.

A los perros se les enseña a ejecutar una serie de ejercicios y vencer obstáculos como vallas, escalas, saltos y otros. En el Circuito de Agility los perros pueden ganar una cantidad de puntos, pero también depende del club que organice la competencia y de los obstáculos que sea capaz de vencer.

El Agility requiere una buena comunicación entre dueño y perro. El atletismo del Pit Bull Terrier le ayuda a ¡volar por el circuito! Este deporte se ha hecho muy popular y proporciona área del deporte canino, es esencial pertenecer a un club donde haya un entrenador experimentado y todos los equipos y medios necesarios para su práctica. Localice una buena escuela den-

Estimule a su cachorro para que le devuelva el juguete ¡y no para que escape con él en la boca!

un buen ejercicio a dueños y perros pero, sobre todas las cosas, ¡es muy divertido!

Para destacarse en cualquier actividad de las que hemos mencionado, o en cualquier otra tro de su localidad y asista a las clases como espectador antes de matricularse. Si le gustan los equipos, el instructor y el tipo de instrucción, matricule a su perro para el próximo curso.

Los deportes caninos se han hecho tan populares que no debe haber dificultades para encontrar un lugar donde haya equipos para el entrenamiento. Será una gran experiencia para usted trabajar con su perro y conocer gente nueva que comparte su mismo interés. Para tener éxito tendrá que invertir tiempo y esfuerzo, además de contar con un perro dispuesto a trabajar del otro lado de la correa.

El Arrastre de Pesos es un excelente deporte para los Pit Bulls porque a ellos les gusta mostrar su fuerza y tenacidad. La ADBA y otras asociaciones organizan competencias de Arrastre de Pesos y usted puede encontrar los lugares donde

El Pit Bull Terrier es un colega de alto vuelo cuando se trata de atrapar el disco (frisbee).

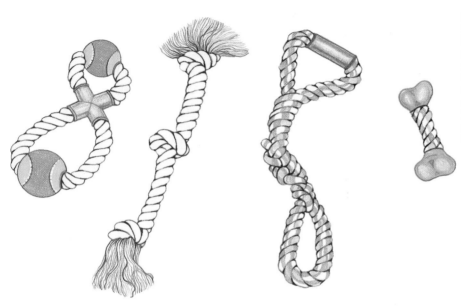

Los juguetes hechos de sogas fuertes gustan mucho a los perros y tienen el beneficio adicional de actuar como limpiadores dentales al morderlos.

se celebran consultando sus webs.

Cuando vaya a usar su perro para arrastrar pesos es útil tener un buen arnés que se ajuste adecuadamente a su cuerpo, porque de lo contrario el perro puede hacerse daño en los músculos de los hombros. Los Pit Bull Terrier tienen el récord mundial de Arrastre de Pesos en varias clases.

El Schutzhund es también un deporte donde los Pit Bulls pueden disfrutar y destacar. Tuvo su origen en Alemania con el objeto de determinar la calidad como reproductores de los ejemplares de la raza Pastor Alemán y, eventualmente, de otras razas. Es un deporte que demanda lo mejor de su perro. Los Pit Bulls no son perros de ataque como algunos piensan, sino perros que se entrenan por su coraje, inteligencia y buen temperamento. De modo que si decide iniciarse con su perro en este deporte es absolutamente esencial que asista a un curso respetable con entrenadores calificados.

Por supuesto, la manera más fácil de mantener activo y en forma a su perro es llevarlo de paseo cada mañana y cada tarde. También será bueno para usted. Por supuesto, a su perro le encantará que juegue con él, le divertirá ir tras la pelota o competir con usted tirando de juguetes hechos de soga fuerte. Los Pit Bulls tienen mandíbulas y dientes muy fuertes, por lo que se necesitan los juguetes más duraderos para que sobrevivan a una o dos sesiones de juego. Nunca le dé una pelota o un juguete lo suficientemente pe-

El tiro de carretas es una vieja tarea que han desempeñado muchas razas caninas a lo largo de la historia; actualmente, se hace principalmente como diversión y hobby. ¿A qué niño no le gusta ser paseado en un carrito por su perro favorito?

queño como para que pueda tragárselo porque, si lo hace, lo mismo que sucedería con un niño, puede que tenga que hacer un costoso viaje al médico, en este caso, al veterinario.

Algunos dueños de Pit Bull y otras razas similares usan esteras rodantes para ejercitar a sus perros. Esto puede parecer raro a los que no están acostumbrados, pero a los perros parece gustarles. Por supuesto, para seguridad del animal, el dueño debe conocer cómo usar apropiadamente este aparato y estar al tanto de las señales de fatiga que pueda dar el perro.

CÓMO MANTENER ACTIVO AL PIT BULL TERRIER

Resumen

■ Su activo, atlético e inteligente Pit Bull Terrier agradecerá cualquier reto a participar en nuevas actividades. Es apto para practicar con éxito muchas ramas del deporte canino.

■ La Obediencia, el Circuito de Agility y el Arrastre de Pesos son sólo algunos de los deportes que pueden practicar los Pit Bull y sus dueños.

■ Si desea entrenar a su perro para competencias caninas, apúntese a un club donde pueda obtener instrucción profesional.

■ Los paseos diarios reforzarán ese lazo tan especial entre usted y su Pit Bull Terrier.

■ Las actividades favoritas de su Pit Bull Terrier serán aquellas que pueda compartir con usted.

El Pit Bull Terrier y el veterinario

Puede que el criador haya llevado a cabo algún procedimiento estético en el cachorro antes de que usted se lo lleve a casa.

En Estados Unidos, los veterinarios con experiencia en estos asuntos cortan las orejas a los cachorros entre las nueve y las once semanas. Si el suyo tiene todavía las orejas vendadas en el momento de llevárselo a casa, el criador le dirá los cuidados que debe tener para que sanen sin problemas. Aclaración sobre el corte de orejas: consiste en recortar quirúrgicamente cierta cantidad de la piel de las orejas. Para conseguir que se mantengan erectas posteriormente, se las venda después de la operación. En sus orígenes, a los perros se les practicaba el corte de orejas para evitar que sus adversarios se las mordieran. En el caso de los perros de pelea y de los terriers, las orejas cortadas daban menos posibilidades a los contendientes de agarrarse de ellas. A

No importa si su Pit Bull Terrier es «hijo único» o si es parte de un gran grupo, cuide su salud como hace con cualquier otro miembro de la familia.

algunos dueños les gustan las orejas cortadas por razones estéticas ya que le dan al perro una expresión más inteligente. Los Pit Bull Terrier pueden o no tener las orejas cortadas; es un asunto de preferencia personal.

Antes de traer su perro a casa, debe encontrar un buen veterinario. Si el criador vive en la misma zona que usted debe poder recomendarle alguno; de lo contrario, tendrá que tomarse el trabajo usted mismo de encontrar una clínica veterinaria de su gusto.

Debería intentar encontrar un veterinario que no viva muy lejos de su casa. Encuentre uno que le guste y en el que pueda confiar porque sepa lo que está haciendo. Vea si la consulta se ve pulcra y huele a limpio. Es su derecho comprobar las tarifas antes de pedir una cita para una consulta, requisito casi siempre indispensable a menos que se trate de una urgencia. Si la consulta le ha causado buena impresión, llévese la tarjeta profesional del veterinario que le atendió, con su nombre y el número de teléfono de la clínica. Siempre trate de ver al

Los cachorros despliegan una gran actividad jugando y explorando. No fuerce o se exceda en el ejercicio con los cachorros jóvenes porque puede dañarles su estructura en crecimiento y provocarles luego problemas ortopédicos.

En la actualidad, muchos dueños de Pit Bull renuncian a cortar las orejas de sus perros debido a que su único propósito es estético.

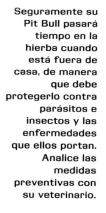

mismo veterinario porque éste ya conoce la historia clínica de su perro y se habrá ido acostumbrando a él.

Averigüe si la clínica atiende llamadas de urgencia, y si no es así, como casi siempre ocurre en la actualidad, obtenga el nombre, la dirección y el número telefónico del servicio local veterinario de emergencia y conserve esta información junto con el teléfono del veterinario.

En la primera consulta, lleve consigo la tarjeta que le dio el criador donde aparece el registro de las vacunas que se le han puesto al cachorro para que el veterinario sepa cuáles son las que faltan. También debe llevar una muestra de materia fecal para hacerle análisis y comprobar si tiene parásitos.

Las vacunas que se recomiendan son las que inmunizan contra el moquillo, la hepatitis

Seguramente su Pit Bull pasará tiempo en la hierba cuando está fuera de casa, de manera que debe protegerlo contra parásitos e insectos y las enfermedades que ellos portan. Analice las medidas preventivas con su veterinario.

Una de las primeras cosas que usted y su nuevo cachorro de Pit Bull harán juntos es ir a la consulta del veterinario.

infecciosa canina, las infecciones por parvovirus y la parainfluenza. Aunque parezcan muchas, hay una que las contiene todas: la DHLPP. Este ciclo de vacunaciones comenzará entre las seis y las diez semanas, lo que significa que el criador le habrá puesto las primeras dosis a la camada y que el veterinario terminará el ciclo poniéndole tres vacunas más, con un intervalo de cuatro semanas.

Hubo una época en que el moquillo fue el azote de la crianza de perros, pero con la adecuada inmunización y un cubil limpio para criar a los cachorros ya no representa un problema, en el caso de los criadores responsables y serios.

La hepatitis canina, muy rara, es una grave infección hepática causada por un virus. La leptospirosis es una enfermedad poco común que afecta los riño-

Muchas enfermedades y parásitos pueden transmitirse de un perro a otro, pero si el suyo recibe las vacunas necesarias desde que es cachorro, puede disfrutar de la compañía de otros perros sin preocupación.

Comience con un cachorro sano y establezca las bases para una feliz vida en común. Los cuidados veterinarios, la nutrición y el adiestramiento adecuados son los elementos clave para que dueño y perro puedan disfrutar de una larga y placentera relación.

nes y es rara en los cachorros, más bien se presenta en los perros adultos. La parvovirosis se reconoce por causar fiebre, vómitos y diarrea. Es una enfermedad mortal para los cachorros y puede diseminarse con mucha facilidad a través de las heces. La vacuna es altamente efectiva como prevención.

El Pit Bull Terrier, como la mayoría de los terriers, se considera una raza sana, con pocos problemas hereditarios. Los problemas que hay que vigilar son prognatismo, exceso de huesos y músculos en los hombros, cálculos en los riñones y demodicosis juvenil. Puede sospechar de la presencia de cálculos renales si su perro bebe una excesiva cantidad de agua y/u orina a menudo. La consulta veterinaria le aclarará cuál es el problema. El médico puede intentar disolver las piedras o bien operar al

Proteja a su cachorro de los problemas caninos comunes siguiendo los consejos del veterinario sobre las vacunas que debe recibir. Vaya a la consulta cuando se le cite y mantenga al día las reactivaciones.

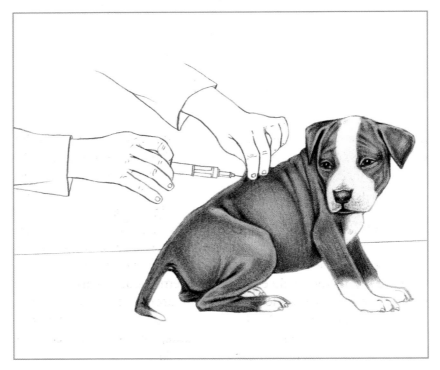

Ponga al tanto a su veterinario sobre cualquier cambio en los hábitos de desahogo corporal de su perro. Las orinas frecuentes pueden indicar varios problemas.

perro para extraérselas, después de lo cual podrá seguir llevando una vida normal, pero es posible que con una dieta canina especial para evitar la reaparición de los cálculos.

La demodicosis juvenil se presenta en los perros jóvenes, de entre 3 y 12 meses de edad. Consiste en varias áreas locales o parches donde se cae el pelo. Los lugares más frecuentes son alrededor de los ojos, en las comisuras de la boca y en los miembros anteriores. Las lesiones pueden provocar comezón al perro. Su veterinario le hará algunos exudados de piel antes de hacer el diagnóstico. El tratamiento puede variar en dependencia de la gravedad de la demodicosis. Para combatir este problema se usarán medicamentos o, más frecuentemente, baños con un champú especial.

A lo mejor, el mayor problema que puede confrontarse en relación con la salud y/o las heridas del Pit Bull es su extraordinaria alta tolerancia al dolor. Por eso, las lesiones más comunes son los músculos rasgados y los ligamentos rotos; como el perro no es consciente de su propia fuerza bruta puede que no muestre la magnitud de la herida.

Las garantías de salud son importantes, por lo que el criador responsable le dará un contrato garantizándole que su cachorro no tiene ciertos defectos congénitos. Esta garantía expira a los seis meses o al año. Si se presentara algún problema, probablemente él sustituirá el cachorro por otro o le ofrecerá algún reembolso.

Un último detalle: puede pensar o no en esterilizar a su Pit Bull, o el criador puede que lo exija. Los machos esteriliza-

A los Pit Bull generalmente no les gustan los perros desconocidos. Al presentarle a otro perro no hay que tirar de la correa ya que eso señala peligro.

dos serán menos agresivos, menos propensos a levantar la pata dentro de la casa y a montar a otros perros (o su pierna). Las hembras esterilizadas no caerán en celo cada seis meses; estos ciclos no sólo son muy difíciles de llevar dentro de la casa, sino que atraen a los perros del vecindario.

La esterilización ofrece también muchos beneficios de salud tanto para las hembras como para los machos.

Los juguetes para morder contribuyen a la salud dental del Pit Bull Terrier y también a mantenerlo ocupado y lejos de hacer travesuras.

EL PIT BULL TERRIER Y EL VETERINARIO

Resumen

■ Si quiere cortar las orejas a su Pit Bull Terrier, necesitará que el veterinario le explique cómo cuidarlas hasta que cicatricen completamente.

■ Encuentre un veterinario de su gusto y que le ofrezca confianza; planifique llevar a su Pit Bull Terrier para un reconocimiento inmediatamente después de traerlo a casa.

■ Respete los turnos que le dé el veterinario para llevar el cachorro a la consulta.

■ El criador debe haber discutido con usted todos los problemas hereditarios potenciales de la raza y darle una garantía sanitaria de su cachorro.

■ El Pit Bull Terrier es lento para mostrar señales de dolor.

■ Discuta la esterilización de su perro con el criador y el veterinario.

El Pit Bull Terrier
anciano

A medida que su perro envejezca se irá haciendo más lento. No jugará tan fuerte o durante tanto rato como acostumbraba.

Dormirá más. Buscará un rayo de sol matutino y tomará una larga siesta. A estas alturas, probablemente usted le estará dando una comida canina formulada para perros ancianos, pero siga vigilando su peso. Es más importante que nunca impedir que el perro se torne obeso. Usted notará cómo su hocico se pone gris, y sus ojos, opacos, señal de cataratas. A medida que envejezca, puede volverse artrítico.

Siga dándole sus paseos, pero acórtelos. Cuando parezca ponerse rígido, dele una aspirina infantil. Continúe con el acicalado porque ambos, usted y él, preferirán que esté limpio y presentable. Esté al tanto de cualquier protuberancia o bulto y, ante cualquier dificultad, llévelo al veterinario. La inconti-

Cuide especialmente a su Pit Bull Terrier cuando envejezca, como retribución a los muchos años de felicidad que trajo a su vida.

nencia puede ser también un problema en los perros viejos. Resulta agobiante para usted y difícil si tiene el perro dentro de casa, pero no es que se haya vuelto majadero, es que el tono muscular de su sistema excretor está desapareciendo.

Los terriers son, en general, perros longevos. Pueden estar perfectamente sanos a los 12 o 14 años y no es infrecuente que vivan 15 o 16 años cuando están bien atendidos.

Los cuidados veterinarios han cambiado mucho durante las dos últimas décadas, al igual que las terapias humanas. En la actualidad, es mucho lo que su veterinario puede hacer por prolongar la vida de su perro si usted está dispuesto a gastar el dinero en ello. Lamentablemente, extender la vida de su perro no le devolverá la juventud. Su primera preocupación deberá ser ayudarlo a vivir su vida cómodamente. Hay medicamentos que pueden ser útiles. Haga lo que haga, intente poner a su perro junto con su bienestar y comodidad por delante de sus

Los Pit Bull Terrier son terriers fuertes que permanecen activos y alertas durante más de una década.

Mientras que al joven Pit Bull Terrier parece que nunca se le acaba el combustible, el viejo puede necesitar períodos de descanso más frecuentes.

emociones. Haga lo que sea mejor para su mascota.

Recuerde siempre los muchos años maravillosos que su mascota les obsequió a usted y su familia y, con eso en mente, puede que no pase mucho tiempo antes de que ande en busca de un nuevo cachorro. Y he aquí que vuelve a empezar todo de nuevo con este gracioso y alegre paquete ¡que está listo para regalarle muchos años más de felicidad!

Puede encontrarse con que su anciano perro necesite salir a hacer sus necesidades con más frecuencia. Esté al tanto de los cambios que acompañan el proceso de envejecimiento y acomode a su viejo amigo.

EL PIT BULL TERRIER ANCIANO

Resumen

■ Esté al tanto de los cambios físicos y de comportamiento que acompañan la tercera edad y sea paciente cuando su perro se haga más lento.

■ Mantenga la constancia con su anciano perro, y adapte su rutina siempre que sea necesario para facilitar las cosas a su viejo amigo.

■ Su Pit Bull Terrier, bien cuidado, vivirá perfectamente más de una docena de años.

■ Puede que su anciano perro necesite ir al veterinario más a menudo. El doctor puede recomendarle la mejor manera de cuidar a su perro de forma que sus últimos años sean saludables y plenos.